国家出版基金项目
NATIONAL PUBLICATION FOUNDATION

《三联经典文库》

第二辑

2012年国家出版基金项目

三联经典文库

158

论批评

荃麟　等著

生活·讀書·新知 三联书店

图书在版编目(CIP)数据

论批评／荃麟等著. -- 北京：生活·读书·新知三联书店, 2014.1
（三联经典文库第二辑）
ISBN 978-7-108-04595-9

Ⅰ. ①论… Ⅱ. ①荃… Ⅲ. ①文艺评论－文集 Ⅳ. ①I06-53

中国版本图书馆CIP数据核字(2013)第152220号

158 论批评

责任编辑　戴云波
封扉设计　蔡立国
责任印制　常宁强
出版发行　生活·讀書·新知 三联书店
（北京市东城区美术馆东街22号）
邮　　编　100010
经　　销　新华书店
印　　刷　北京鹏润伟业印刷有限公司
版　　次　2014年1月北京第1版　2014年1月北京第1次印刷
开　　本　787毫米×1092毫米 1/32　印张 8.125
字　　数　108千字
定　　价　30.00元

《三联经典文库》出版缘起

适逢生活·读书·新知三联书店八十华诞，为弘扬传统，接续文脉，回报读者，服务社会，我们决定策划出版《三联经典文库》。

1932年7月，生活书店在上海创办，此后，读书出版社和新知书店相继成立。本文库第一辑、第二辑所选图书，来自于这三家出版单位及其分支机构，以及1948年生活·读书·新知三联书店成立后的出版物，始于1932年，截至1951年，两辑各一百种。此为第二辑，涉及政治、经济、社会、军事、思想文化诸领域，涵盖专著、文集、散文、小说、诗歌、传记、报道等体裁，既有直面现实、追求真理、讴歌真善美、抨击假恶丑的原创作品，又有引介世界各国先进文化、传播新知、开启民智的迻译之作，真实记录了那一代知识分子的思考与探索、理想与愿景和对中华民族文化传承与创新所做出的努力与贡献。

本文库所辑入各书，多为名家名作，在版本方面，以初版一印本或经著译编者审定、修订、增订过的版本为首选，因此本文库又具有较为珍贵的版本价值和收藏价值。

本文库还将编选续辑，使之成为恢弘文化工程。诚挚希望读者给予批评和指正，帮助我们完善编选工作，再现三联经典作品之风采。殊为遗憾的是，由于年代久远，一些原著译编者及其后人未能取得联系并奉付稿酬，诚盼版权所有者与我们联系。祈愿三联前辈所创造的精神财富能薪火相传，为中华文化的伟大复兴增光添彩。

《三联经典文库》编辑委员会

2013 年 8 月

凡　例

一、本文库为重排本，由繁体字竖排版改为简体字横排版。

一、以忠实于原作、整旧如旧为编辑原则，对当时使用的专有名词、外文译名，以及民国时期的语言和特色予以保留。

一、原书注释如旧，编者所出的注释，均以“编者注”标明，以示与原书注释的区别。

一、对原书残缺或字迹漫漶之处，以□示代。

一、对繁简文本转换时的“如右”、“见左”一类，对应改为“如上（前）”、“见下（后）”。

一、对原书中各种错讹脱衍之处，直接订正，不再以其他符号标示。

一、对数字、标点符号的用法，在不损害原文语义的情况下，做必要的规范。

一、本文库各书均前插原书书影、原书版权页和文库版“本书出版说明”。

一、本书出版说明的撰写，以客观中立为原则，扼要介绍本书的内容、版本流转、著译编者的情况。

本书出版说明

在二十世纪四十年代末，由南来的左翼文人在香港创办了一份以理论批评为主、文学创作为辅的文艺刊物，总名《大众文艺丛刊》，出版时间为 1948 年 3 月至 1949 年 3 月停刊，为期一年，共出六辑，自第 4 辑起为避免国民党当局的邮件检查，以书代刊出版。各辑有独立书名，其主要撰稿人有郭沫若、茅盾、丁玲、夏衍、胡绳、林默涵、邵荃麟、冯乃超等，后两人也是刊物的实际负责者。《论批评》即为其中的第四辑（又名《鲁迅的道路》），收入了胡绳《鲁迅思想发展的道路》、荃麟《论马恩的文艺批评》两篇重要的理论文章，仝人《敬悼朱自清先生》等三篇评论文章，赵树理《催粮差》、邹荻帆《致家乡》等文艺作品。这些文章无论是理论批评还是文艺作品，都突出了这样几个鲜明的思想导向：一是坚持唯物的注重实践的现实主义精神，对于一些作家片面的讲求“个性”、因脱离现实与大众而容易妥协并走向悲观绝望等唯心倾向进行了批判；二是强调批评的方法应当是扎根于科学的唯物史观，着重从主观是客观现实的反映为出发点，从而帮助读者对作品的理解；三是肯定文艺革命的功利性，与肯定文艺的大众化一样，文学作为载道的工具，所载的是“人民之道”，因而其服务对象首先是人民大众，而且其普及化、通俗化的程度也应相应提高。本书系由荃麟主编，胡绳、荃麟等批评家撰稿，理论与评论文字占到60%强。

本书初版于1948年9月，由大众文艺丛刊社出版、香港生活书店发行。此次出版即以此版为底本。

荃麟（1906～1971），即邵荃麟，中国文学理论家。浙江慈溪人。1920年在上海复旦中学和复旦大学读书。1926年加入中国共产党。此后长期从事革命工作。1949年后，曾任政务院文化教育委员会计划局长、副秘书长、党组成员，中共中央宣传部副秘书长、中宣部教育处长等职务。1953年起任中国文学工作者协会（后改为中国作家协会）副主席、党组书记，主编《人民文学》。1964年以后遭到批判，文化大革命期间受迫害，含冤病死狱中。1979年平反。1981年，人民文学出版社出版了《邵荃麟评论选集》。

生活·读书·新知三联书店

2013年8月

大众文艺丛刊社 1948 年 9 月版书影

大衆文藝叢刊

論批評

·每冊定價港幣二元·

著作者　荃麟等

出版者　大衆文藝叢刊社

總經售　生活書店　香港大道中五十四號

印刷者　嘉華印刷有限公司　香港德輔道西三〇八號

中華民國三十七年九月出版

原书版权页

目次

大连市鲁迅公园

一九四五年日军投降，苏联红军解放大连市，在市内建立鲁迅公园纪念我国伟大文豪鲁迅先生。兹刊园景四幅以飨读者。

公园门前

鲁迅先生纪念碑

纪念碑前之圆形石坛

庄严之园亭前景

鲁迅思想发展的道路

胡　绳

瞿秋白在一九三三年所作《鲁迅杂感选集·序言》中的分析，至今仍应承认为对鲁迅思想发展道路的最好的说明。“鲁迅从进化论进到阶级论，从绅士阶级的逆子贰臣进到无产阶级和劳动群众的真正的友人以至于战士。他是经历了辛亥革命以前直到现在的四分之一世纪的战斗，从痛苦的经验和深刻的观察之中带着宝贵的革命传统到新的阵营里来的。”——这就是瞿秋白分析鲁迅思想发展的道路所达到的结论。

如果不从鲁迅思想发展的全部过程上来看，就不可能懂得，为什么“鲁迅的方向就是中华民族新文化的方向”。

*　　　　*　　　　*

鲁迅在辛亥革命前四年（一九〇七年），二十七岁的时候，在日本，开始用文字表现其社会思想。这时正是中国资产阶级领导的革命运动发展到高潮的时期，革命运动的中心就在日本的留学生界中。鲁迅是欢迎这个为祖国求进步，求改造的革命运动的，而且还参加过当时的革命团体之一。他当时的思想受着周围的革命运动的影响，但又在某些方面表现得比别的人看得更远，看得更深。

资产阶级的革命运动不能使他满足，在辛亥革命前，鲁迅天才地预感到这个革命将不能真正达到改造故国的目的："呜呼，古之临民者，一独夫也；由今之道，且顿变而为千万无赖之尤，民不堪命矣，于兴国究何与焉。"（《文化偏至论》，一九〇七年）

辛亥革命时，鲁迅已回国，他虽也兴奋地接待这个变革，但他立刻看出，这革命是假的。"到街上去走了一通，满眼是白旗，然而貌虽如此，内骨子是依旧的，因为还是几个旧乡绅所组织的军政府。……"（《范爱农》）

民国初年的混乱的中国对于鲁迅是个锻炼，但这几年间，他的思想发展极少被用文字表现出来。到了“五四运动”的前夜——从一九一八年起，鲁迅的战斗的光芒才开始辉煌地展开了。

“鲁迅在‘五四’前的思想，进化论和个性主义还是他的基本。”“固然这种个性主义，是一般的知识分子的资产阶级性的幻想，然而在当时的中国，城市的工人阶级还没有成为巨大的自觉的政治力量，而农村的农民群众只有自发的不自觉的反抗斗争。大部分的市侩和守旧的庸人，替统治阶级保守着奴才主义，的确是改革进取的障碍。为着要光明，为着要征服自然界和旧社会的盲目力量，这种发展个性、思想自由、打破传统的呼声，客观上在当时还有相当的革命意义。”（瞿秋白）

鲁迅之“从进化论最终的走到了阶级论，从进取的争求解放的个性主义进到了战斗的改造世界的集体主义”，固然是到了一九二五——二七年的革命风暴以后，才彻底地完成，但是“五四运动”后十年间，对于鲁迅，正是循着这个方向而从事着艰苦卓绝的斗争的历程。

*　　　　*　　　　*

“‘五四运动’是反帝国主义运动，又是反封建的运动，‘五四运动’的杰出的意义在于它带着为辛亥革命还不曾有的姿态，这就是彻底的不妥协的反帝国主义与彻底的不妥协的反封建。”“‘五四运动’在其开始是共产主义的知识分子，革命的小资产阶级知识分子与资产阶级知识分子（他们是当时的右翼）三部分人的统一战线的革命运动。”（毛著《新民主主义论》）

鲁迅在“五四运动”中，是作为革命的小资产阶级知识分子而出现的，与右翼的资产阶级知识分子有着明显的区别，在文化革命战线上表现了高度的彻底性，不妥协性。尤其重要的是，到了“五四运动”的一二年后，资产阶级知识分子中的大部分，已陆续与敌人妥协站向反动方面去了，而鲁迅却继续勇敢而坚决地保持和发展着他的文化革命阵地。

固然在“五四”后若干年间，鲁迅并没有直接走向共产主义的文化思想，他只是坚决在反动势力的大本营——北京城里，向军阀官僚和他们的叭儿狗（包括着叛变了“五四运动”的“正人君子”们），作着短兵相接的战斗。虽然在主观上他有时自己说是在作着“绝望的抗战”，“不过是与黑暗捣乱”（《两地书》），但在客观上，他正是担任了当时整个人民革命运动中的一个重要战线。

无产阶级的政治运动在这时期已经涌现为独立的力量，但在文化思想上还没有能建立坚强的阵地。鲁迅在文化战线上是独立地坚持着他的工作的，通过他的直感的生活经验而把反帝反封建的文化斗争进行得如此彻底，可算是革命的小资产阶级在那样的环境下所可能达到的最高度了。应该承认，在这些年头中，鲁迅已经因他的战斗业绩表现出他的“骨头是最硬的，他没有丝毫的奴颜与媚骨”，表现出他“是在文化战线上代表全民族的大多数，向着敌人冲锋陷阵的最正确、最勇敢、最坚定、最忠实、最热忱的空前的民族英雄”。

作为小资产阶级知识分子，鲁迅是有着他的特点的。瞿秋白说：“他不但很早就研究过自然科学和当时科学上的最高发展阶段，而且他和农民群众有比较巩固的联系。他的士大夫家庭的败落，使他在儿童时代就混进了野孩子的群里，呼吸着小百姓的空气。这使得他真像吃了狼的奶汁似的，得到了那种‘野兽性’。他真能斩断‘过去’的葛藤，深刻地憎恶天神和贵族的宫殿。……”

革命的知识分子，如果敢于并且能够和封建势力斩断关系，和帝国主义斩断关系，并且和一切在反帝国主义反封建斗争中退却变节的资产阶级坚决对立起来，勇敢坚定地向前奋斗，那么他终究要发现，他的道路只能也必须和无产阶级的道路紧相连接起来。——这是近代中国文化革命发展上的一个规律。鲁迅是在真实意义上完成这样的发展的一个最伟大的先驱者。

就这意义说，小资产阶级知识分子和无产阶级之间确是并没有隔开一座万里长城。但就另一方面说，从前者的立场转向后者（除非是虚伪的“做戏式”的“转变”）毕竟是一个艰难的过程，一个严肃的自我改造的过程。鲁迅正是在真实意义上完成这样的过程的一个最光辉的模范。用瞿秋白的说法，就是：“从自己的道路回到了狼的怀抱。”

以为革命知识分子本来就在人民大众中，所以用不着有什么自我改造的想法是和鲁迅的道路一点也没有相似之处的。抱着这样见解的人就不能不否定瞿秋白下面

一段分析，说：“恐怕也未必对的罢。”（舒芜）

瞿秋白在这点上的分析是十分正确的。他指出，鲁迅作品虽然曾经只是憎恶旧社会而不能标明社会发展的方向，但这仍不失为革命文学。“因为它至少还能够反映社会真相的一方面，暗示改革所应当注意的方向。”“而同时，这些早期的革命作家，反映着封建宗法社会崩溃的过程，时常不是立刻就能够离开个性主义——怀疑群众的倾向的。他们看得见群众——农民小私有者群众的自私，盲目，迷信，自欺，甚至驯服的奴隶性，可是，往往看不见这种群众的革命可能性，看不见他的笨拙的守旧口号背后隐藏着的革命价值。鲁迅的一些杂感里面，往往有这一类的缺点，引起他对革命失败的一些失望和悲观。”

进化论与个性主义，对于鲁迅固然曾经是战斗武器，但也曾经是障碍前进的一种负累。就这方面说，鲁迅的伟大正在于他能够通过苦痛的历程，表现了严肃的自我献身的精神，而终于克服了、抛开了这种负累。

*　　　*　　　*

一九〇七年鲁迅作《文化偏至论》，揭出他当时的思想纲领是："重个人，轻物质。"（"掊物质而张灵明，任个人而排众数。"）这就是鲁迅在"五四"前的思想基础。

那时的鲁迅认为，十九世纪的欧洲文明的流弊是个人被集体所抹煞，主观精神被物质生活所淹没；而纠正这种弊病的就是从十九世纪末开创的"新"思潮，这所谓"新"思想却是以"个人主义"与"非物质主义"为标志的。根据尼采的"超人"的思想，《文化偏至论》中说："故是非不可公于众，公之则果不诚；政事不可公于众，公之则治不郅。惟超人出，世乃太平。苟不能然，则在英哲。……与其抑英哲以就凡庸，曷若置众人而希英哲？则多数之说，缪不中经，个性之尊，所当张大，盖揆之是非利害，已不待繁言深虑而可知矣。虽然，此亦赖夫勇猛无畏之人，独立自强，去离尘垢，排舆言而弗沦于俗囿者也。"同样的，这时候的鲁迅认为唯物论思想足以造成"人惟客观之物质世界是趋，而主观之内面精神乃舍置不之一省，重其外，放其内，取其质，遗其神"的结果，因此必须靠"主观与意力主义之兴"以挽救这种"唯物极端"的流弊，也是受了尼采主义的影响。

很明白的，鲁迅这时对西方文明的看法是一种错觉。他把欧洲资产阶级文明堕落时期的反动思潮看做了是新生的代表，以致以为二十世纪的文明将在个人主义与主观主义的基础上振兴："二十世纪之文明当必沉邃庄严，至与十九世纪之文明异趣。新生一作，虚伪道消，内部之生活其将愈深且强欤？精神生活之光耀将愈起而发扬欤？成然以觉，出客观梦幻之世界，而主观与自觉之生活将由是而益张欤？内部之生活强，则人生之意义亦愈邃，个人尊严之旨趣亦愈明。二十世纪之新精神，殆将立狂风怒浪之间，恃意力以辟生路者也。"

但鲁迅之在一九〇七年在《文化偏至论》以及《摩罗诗力说》等文中提出这样的思想，并不只是"介绍"外国思想，而是按照他自己的理解来接触了当时中国的问题。自从《辛丑和约》（一九〇一年）以后，中国的资产阶级、小资产阶级中沸腾着求革新的热潮。但老一辈的改良主义者只希望政治"维新"，建立君主立宪，以达到振兴工业，求臻"富强"的目的；新一辈的小资产阶级的狂热的革命主义者中只以为抛两个炸弹，搞几次起义暴动，把满清朝廷推翻，为故国换上民主立宪的招牌，就可以成功了。鲁迅天才地感到这一切并不济事。但究竟应该怎样办呢？鲁迅这时候不可能提出集体主义的思想，因为在当时中国还没有掀起劳动人民中的自觉的群众斗争，而他们能看到的却只是“大部分守旧的市侩和守旧的庸众，替统治阶级保守着奴才主义，的确是改革进取的阻碍”（瞿秋白语）。他这时候更不可能用科学的方法来看出中国社会的发展规律，而只能根据直觉的经验体认到封建文化的传统重压是在中国民族向前进步的途程中必须用巨大力量来挣脱的束缚。——用个人的自觉力量击退传统的重压，在守旧和虚伪的“庸众”中保持个性的发扬是鲁迅当时所可能到达的战斗方针。因此，欧洲资产阶级没落中的反动思想，转过来却成了二十世纪初年中国的小资产阶级的启蒙思想者开始他的向前追求的武器了。

应该说，提出“重个人，轻物质”的思想，对于“五四运动”前的鲁迅并不是到达了一个思想结论，而恰恰是他在昏沉的子夜开始他的思想追求的长途的发端。在“五四运动”前，提出类似思想的人除鲁迅外并不是绝无第二人，但能够坚持思想的追求，以致终于克服和扬弃了这个发端的却几乎可以说，只有鲁迅一人。

因此，很明白的，在四十年前，鲁迅在唯心论与个人主义的思想基础上片面地提出发展个性，加强主观力量的主张，“客观上在当时还有相当的革命意义”；但在四十年后，胡风、舒芜诸先生企图用新的字眼来复写在实质上与《文化偏至论》中的内容相同的思想，其客观的趋向却只能是小资产阶级对于人民大众的自觉的，集体的进取和改革的抵制。

*　　　　*　　　　*

“‘五四’到‘五卅’前后，中国思想界里逐步的准备着第二次的‘伟大的分裂’。这一次已经不是国故和新文化的分裂，而是新文化内部的分裂：一方面是工农民众的阵营，别方面是依附封建残余的资产阶级。这新的反动思想已经披上了欧化，或所谓‘五四’化的新衣服，这个分裂直到一九二七年方才完成，而在一九二五至二六的时候，却已经准备着。只要看当时段祺瑞章士钊的走狗‘现代评论’派，在一九一七年之后是怎样的得其所哉，就可知道这中间的奥妙。而鲁迅当时的《语丝》，革命的小资产阶级的文艺思想和批评，正是针对

着那些未来的‘官场学者’的。”（瞿秋白）

在这一“伟大的分裂”中，鲁迅的立场是很鲜明的：他和虐杀人民的任何旧的，新的统治者没有一丝一毫的妥协。他向一切披着“正人君子”面目的奴才帮凶宣战，他也无情地揭发一切挂着“革命者”斜皮带的刽子手的面目。

但鲁迅直至大革命时期还并没有完全摆脱进化论与个性论的思想基础——这就是上文所说的对于他的思想的负累。

进化论的思想使得他这时还不能明确地从阶级观点出发分析一切问题，虽然他从实际生活出发的最高的憎恨与打击是向着统治阶级的。《热风》的“随感录”第四十九则中说：“我想种族的延长，——便是生命的延续，——的确是生物界事业里的一大部分。何以要延长呢？不消说是想进化了。但进化的途中总须新陈代谢。所以新的应该欢天喜地的向前走去，这便是壮，旧的也应该欢天喜地的向前走去，这便是死；各各如此走去，便是进化的路。”这固然还是在“五四运动”前一年（一九一八年）所写下来的话，在“五四”后鲁迅自己经历了的激烈的思想斗争，不能不渐次修正这种和平的进化观念，但以这样的看法发展到明确的阶级斗争的观念，却决不是简单地一跃而至的。

进化论思想加上个性论观点又使得他不免会发生“怀疑群众的倾向”。例如在一九二五年，鲁迅在《通讯》中曾这样说：“大约国民如此，是决不会有好的政府的；好的政府，或者反而容易倒。也不会有好议员的；现在常有人骂议员，说他们收贿，无特操，趋炎附势，自私自利，但大多数的国民，岂非正是如此的么？这类的议员，其实确是国民的代表。”（《华盖集》）照鲁迅这时的看法，仍觉在“民众”中谈改革是“很难”的，因此“只好以智识阶级一面先行设法，民众俟将来再谈，而且他们也不是区区文字所能改革的。历史通知我们，清兵入关，禁缠足，要垂辫，前一事只用文告，到现在还是放不掉，后一事用了别的法，到现在还在拖下来”（同上）。这很分明的是只看到了中国人民在历史上由专制淫威所压榨成的驯服的奴隶性，却不能看出在新的历史条件下人民大众自觉地奋起的可能性。

然而这样的观点对于鲁迅这时期的思想已不是决定

的因素，而只是表现于他的反封建传统的实际战斗进行中的思想负累。但如果说这种负累对于战斗力的发挥没有任何影响也是不对的。

像周作人那样的人以为，鲁迅是“对于中国民族抱着一片黑暗的悲观”，自然是极糊涂的看法。但鲁迅曾经——尤其在一九二五以后的几年间，经历着中国革命的大变化，曾流露出悲观失望的情绪也是我们不必否认的。

鲁迅从现实的生活经验出发，赤裸裸地撕开了反动统治阶级的虚伪、卑劣、阴险、狠毒的面貌，以致使得他们的眼前——如用鲁迅自己所说——“黑的恶鬼似的站着‘鲁迅’这两个字”（《两地书》）。但同时究因为他这时还没有明确的阶级观点，也就常常难免把统治者的罪恶和被统治的人民因黑暗的统治制度而染上的病态一起归着于“国民性”的问题。“此后最要紧的是改革国民性，否则无论是专制，是共和，是什么什么，招牌虽换，货色照旧，全不行的。”（《两地书》，一九二五年三月）——不看招牌要看货色，这是战斗的现实主义，然而把“改革国民性”当做革命的前提，却正足以“形成对于革命失败的一时的失望和悲观”。如果革命失败就因为国民性没有改造的原故，那么，革命就会被看做是永远连续的悲剧了：“革命，革革命，革革革命，革革……。”（《而已集 · 小杂感》，一九二七年九月）

悲观失望的情绪却并不能使他停止前进的脚步，这又是为什么原故呢？

与唯心论观点相对立着的，从实践斗争中培养起来的现实主义的战斗精神起着伟大的抗毒素的作用。鲁迅尽管是以小资产阶级的进化论与个性论思想出发，但他从不用一套小资产阶级思想构成一个小天地，使自己“安身立命”于其间。恰恰相反，他永远是在突破这个思想圈套去和现实的社会斗争相接触。鲁迅的个性论是“进取的，争求解放的个性主义”，这和从个人出发的利己主义有着原则上的区别。鲁迅在一九二六年底曾如此说过：“我现在对于做文章的青年，实在有些失望；我看有希望的青年，恐怕大抵打仗去了，至于弄弄笔墨的，却还未遇着真有几分为社会的，他们多是挂新招牌的利己主义者。”（《两地书》）而鲁迅自己，不管在怎样情况下，总是以诚挚的心情为社会而工作，以致到了完全不顾到自己的地步。伟大的思想先驱者，有着他的最沉重的苦痛，这种苦痛之所以是沉重，就因为那并非出发于个人利害的计较，而是要追求怎样才能为社会的进步而工作得更好，工作得更有效。

与悲观绝望相反的一种因素，在鲁迅身上也是一路发展着的。一九二二年的《无题》中记载他因一个卖朱古律的店员基本上未失去诚实之心而感到“惭愧”，他说：“这种惭愧，往往成为我怀疑人类的头上的一滴冷水，……渐渐觉得我的周围，又远远地包着人类的希望。”（《热风》）《呐喊》中的“一件小事”记载他从一个黄包车夫的行为中得到深刻的感应：“这一件小事却总是在我眼前，有时反更分明，教我惭愧，催我自新，并且增长我的勇气。”鲁迅就是这样地常常从他与“卑微的小人物”的接触中检查他自己的思想。《坟》后记中说：“我的确时时解剖别人，然而我更无情面地解剖自己。”鲁迅的自我批判，从不自欺的精神正是他能够从周围现实中接受教训的基因。“三·一八”的牺牲者更使他奋然喊出：“苟活者在淡红的血色中，会依稀看见微茫的希望，真的勇士将更奋然而前行。”（《华盖集》)——这时期他所能感到的希望纵然只是“微茫”的，“远远”的，然而这正是使他不管“路漫漫其修远兮”，但终不放弃“吾将上下而求索”的基础。

《野草》——这一散文诗的结集最深刻地表现着他在大革命过程中的悲观、绝望、矛盾、愤慨和苦痛的追求的心情。他的悲观是由于他所接触到的革命现实恰恰与所希望的相反，他的苦痛是由于在四面“碰壁”之下发现他的旧的思想武器之衰朽。整个中国正沸腾在大矛盾，大分裂中，鲁迅的苦痛是与整个时代相关连着的。这不是引导向退婴萎缩的失败主义者的心情，恰恰相反，倒是向前跨进更大一步的新生因素，虽然里面包含着悲观绝望的成分：鲁迅的伟大就在于他能够通过大悲观而走向真实的大希望，通过绝望而开始去学习“别种方法的战斗”。

*　　　　*　　　　*

在一九三一年八月的一次演说中，鲁迅指斥了那在“革命”与“反革命”之间投机取巧的小资产阶级；他说：“这样的翻着筋斗的小资产阶级，即使是在做革命文学家，写着革命文学的时候，也最容易将革命写歪；写歪了，反于革命有害，所以他们的转变，是毫不足惜的。当革命文学的运动勃兴时，许多小资产阶级的文学家忽然变过来了，那时用来解释这现象的，是突变之说。但我们知道，所谓突变者，是说A要变B，几个条件已经完备，而独缺其一的时候，这一个条件一出现，于是就变成了B。……外面虽然好像突变，其实是并非突然的事。倘没有应具的条件的，那就是即使自说已变，实际上却并没有变，所以有些忽然一天晚上自称突变过来的小资产阶级革命文学家，不久就又突变回去了。”（《二心集》）

鲁迅的思想有过“突变”么？毫无疑问，应该肯定是有的。但这突变不是所谓在“一天晚上”忽然奇迹似地出现的。有了和封建旧势力的长期搏斗的经历，从现实的斗争中认识到旧武器的无力与失效，我们的伟大先驱者经过一九二七年“四·一二”事变后的大屠杀，大流血后，从苦痛和绝望交织的矛盾中，重新抬起头来。鲁迅开始了他从革命小资产阶级的立场转向无产阶级立场的转变，他找到了新的真实的希望。一九二九年他翻译马克思主义的文艺理论，一九三〇年他参加左翼作家联盟，那正是“几个条件已经完备而独缺其一的时候，这一条件一出现”，A 就变成了 B。

“我时时说些自己的事情，怎样地在‘碰壁’，怎样地在做蜗牛，好像全世界的苦恼，萃于一身，在替大众受罪似的；也正是中产的智识阶级分子的坏脾气。只是原先是憎恶这熟识的本阶级，毫不可惜它的溃灭，后来又由于事实的教训，以为惟新兴的无产者才有将来，却是的确的。”（《二心集 · 序言》，一九三二年四月）

“先前，旧社会的腐败，我是觉到了的，我希望新的社会的起来，但不知道这‘新的’该是什么，而且也不知道‘新的’起来以后，是否一定就好。待到十月革命后，我才知道这‘新的’社会的创造者是无产阶级。……现在苏联的存在和成功，使我确切的相信无阶级社会一定要出现，不但完全扫除了怀疑，而且增加许多勇气了。……”（《且介亭杂文 · 答国际文学问》，一九三四年）

“最初文学革命者的要求是人性的解放，他们以为只要扫荡了旧的成法，剩下来的便是原来的人，好的社会了，于是就遇到保守家们压迫和陷害。大约十年之

后，阶级觉醒了起来，前进的作家，就都成了革命文学者。……”（同上：草鞋脚小引，一九三四年）

——鲁迅自己这样地写出了他的思想转变过程。这时候他已经以社会科学代替了自然科学而为前进路程的指标（“读书界的趋向社会科学是一个好的，正当的转机，不惟有益于别方面，即对于文艺，也可催促他向正确，前进的路”——《二心集·我们要批评家》)，由马列主义的思想理论而“救正”了“只信进化论的偏颇”(《三闲集·序言》)，并且从将来属于无产阶级的信心而坚定了为人民大众的立场。

鲁迅的转变更有一特点是必须注意的。近二十年来，中国许多小资产阶级分子之进入革命，往往是更多带着主观的空洞革命的热情，却较少有从实际出发的沉着的思想能力，如同瞿秋白所批评的:“他们没有前一辈的黎明期的现实主义——也可以说是老实的农民的实事求是的精神。”鲁迅恰恰是所谓“前一辈”的知识分子中的最杰出的代表。他的大半生都消耗在和旧社会的顽强搏斗中，由此他换来了无数的创伤和苦痛，也取得了丰富的感觉和经验。他抚摸着满身创伤，针对着他所生活过来战斗过来的中国现实，经过了认真而沉重的思索，他才体认了新的真理。当他一旦把握新的真理的时候，就像农民对所分得的土地一样地忠诚不贰，生死如一地为保卫它而作战了。他把无产阶级的思想方法和他在旧社会战斗中积蓄起来的丰富经验结合了起来，就使得他能够立刻把这新的武器运用得如此地好，如此地熟练；也使得他所有的旧经验都提炼而上升到了无产阶级的科学水平。

*　　　　*　　　　*

从一九三〇年起，不足七年的时间中鲁迅作品俱见于从《二心集》到《且介亭杂文》八部杂文集中。这时期的作品和以前的，在风格上，在思想内容上有着显然的区别。在战斗进行中的怀疑，犹豫，彷徨，悲凉的情绪已经绝迹，我们所能接触到的是沉着稳定的坚毅的进军，是对于通过一切阻难妨害而必将到达的前途的巨大信心，是与科学的分析与批判相结合着的分明而热烈的是非爱憎。

“从《二心集》起以后八部杂文集中，他记录了大地主大买办集团的媚奴独裁的历史，可耻的不抵抗主义，替日本侵略者作前驱的内战，残酷的文化屠杀。同时他也描写出来了各种奴才的嘴脸，自称还不知道主子是谁，然而却已判断‘攻击资产制度即是反抗文明’的教授；向日本法西斯献上‘征心’策的学者；捧异族侵略者为老祖宗的‘民族主义’文学家；‘徙倚华洋之间，往来主奴之界’的西崽相名人。鲁迅先生在文化界思想领域内的反帝反封建精神，到了后期更达到了异常辉煌而完全合乎科学的高度。”（《新华日报》一九四六年十月纪念鲁迅的社论）

然而，这所说的还只是鲁迅后期思想的具体表现的一方面。

在另一方面，“他对于中国人民充满了信心，他有着满腔保护人民的热忱，而且他真是为中国人民做到了鞠躬尽瘁，死而后已”（同上）——这也是后期鲁迅作品中所表现着的鲜明色彩。这和以前他对人民大众的看法有了巨大的跃进。

这并不是说，后期的鲁迅不再指出中国人民的精神创伤，但他明确指出，这所谓“国民性”的来源，正是统治者的罪恶。例如他说：“近来的读书人，常常叹中国人好像一盘散沙，无法可想，将倒楣的责任，归之于大家。其实这是冤枉了大部中国人的。小民虽然不学，见事也许不明，但知道关于本身利害时，何尝不会团结。先前有跪香，民变，造反，现在也还有请愿之类。他们的像沙，是被统治者‘治’成功的。用文言来说，就是‘治绩’。”（《南腔北调集 · 沙》）如果人民的创伤乃是统治者的治绩，那么和旧中国斗争当然不是和人民的创伤斗争而是向统治者斗争了；那么“改造国民性”的事情也就一定是在向统治者决斗过程中去实现的了。——前期的思想在这里是经过扬弃而提高了。

后期的鲁迅思想中，文艺大众化的问题占了主要位置。关于旧形式的采用问题最足以表现他的为大众的观点和辩证唯物论的思想方法。例如他说："旧形式为什么只是‘采取’？就是为了新形式的探求。以为艺术是艺术家的‘灵感’的爆发，像鼻子发痒的人，只要打出喷嚏来就浑身舒服，一了百了的时候已经过去了。现在想到而且关心了大众。这是一个新思想（内容），由此而探求新形式，首先提出的旧形式的采取，这采取的主张，正是新形式的发端，也就是旧形式的蜕变。……"

(《且介亭杂文·论旧形式的采用》)把这些意见和以前他的看法相比，相去的距离可说是已十分远的了。

然而作为鲁迅后期思想的具体表现的，还有一重要方面是值得重视的，那就是他在无产阶级文艺运动由小资产阶级作家支持的时候，向革命作家们经常提出了及时而有力的诤戒和策励。试读《二心集》中的“对于左翼作家联盟的意见”,“上海文艺之一瞥”,《南腔北调集》中的“辱骂和恐吓决不是战斗”以及其他许多文章，那里面所包含着的思想原则，至今仍应承认为是前导的指引。

“我们战线不能统一，就证明我们的目的不能一致，或者只为了小团体，或者还其实只为了个人，如果目的都在工农大众，那当然战线也就统一了。”(《对于左翼作家联盟的意见》)

“在左联结成的前后，有些所谓革命作家其实是破落户的漂零子弟。他也有不平，有反抗，有战斗，而往往不过是将败落家族的妇姑勃谿，叔嫂斗法的手段，移到文坛上。嘁嘁喳喳招是生非，搬弄口舌，决不在大处着眼。这衣钵流转不绝。……”(《且介亭杂文末编·答

徐懋庸》）[1]

针对着小资产阶级革命作家，这样的批评和提示是有益处的。

鲁迅这时又明确指出过："革命文学家，至少是必须和革命共同着生命，或深切地感觉着革命的脉搏的。最近左联提出了'作家的无产阶级化'的口号，就是对于这一点的很正确的理解。"（《上海文艺之一瞥》）意思很明白，这说的是作家要"和革命共同着生命"，就要努力在生活上"无产阶级化"。——这里用了"生命"的字眼，然而并不是唯心论，就因为这字眼在这里包含着具体内容的原故。（只有胡风先生才会"神经质"到担心别人会一看见生命二字就想到唯心论。）

不要以为鲁迅对左翼文坛的批评和诤戒都已过了时了。不。鲁迅的话应该永远震荡在革命作家的耳边："左翼作家是很容易成为右翼作家的。"（《对于左联的意见》[2]）"革命文学者若不想以他的文学助革命更加深化，展开，却借革命来推销他自己的'文学'，则革命高扬

[1] 应为《且介亭杂文末编·答徐懋庸并关于抗日统一战线问题》。——编者注

[2] 应为《对于左翼作家联盟的意见》。——编者注

的时候，他正是狮子身上的害虫……。”（《伪自由书》后记）

*　　　　*　　　　*

以上算是就我的理解描画出鲁迅思想发展的主要线索。

虽然我自知这样的描画还远不能包括鲁迅所留下的宝贵思想遗产的全部内容，但我希望，由此至少可以指明流行着的一些对鲁迅思想片面的，错误的观点是如何地有害于我们来接受中国新文艺中的这一份最可宝贵的遗产。

这一种片面的，错误的观点有着种种的表现形式：

或者是片面地强调鲁迅一生中首尾一贯坚持不移的精神，却忘记了鲁迅的伟大更在于他敢于以新的立场来冲破他在旧的立场上的局限性。也有把鲁迅思想的发展描写为只有量的扩充，却不愿承认其间有过质的转变。在某种意义上说，鲁迅有着前后一贯的精神（例如他始终热切地追求中国民族的进步），这是我们不否认的，但如果不看出他曾经在怎样严肃的自我解剖下使自己从小资产阶级的思想立场，转向无产阶级的立场，那么就无法了解这“一贯精神”是怎样发展下来的。

或者是片面地强调鲁迅的主观战斗精神，好像鲁迅是天生就有着超人的坚强的主观力似的。鲁迅的主观力量是由于他和实际的社会斗争相接触而来的。因为他和辛亥以来每一中国历史上的重大事变紧相接触，而且终于使自己和中国无产阶级政治运动相结合，所以他才能代表了中国人民中最强的骨头，最强的主观力量。

或者是片面地强调鲁迅思想由生活的直觉经验出发的特点，却不愿意去看出，鲁迅并不单靠直觉经验而到达他的思想的最高度，而是通过直觉经验更上升到无产阶级的集体主义思想。经过无产阶级思想的锻炼，这些生活经验的结论才显得无比的光辉。

或者是单纯歌颂鲁迅前期的个性主义思想；或者以为，鲁迅的伟大就在于他有着独往独来，孤身作战的精神；或者以为，鲁迅的战斗力量只在于暴露黑暗，怀疑一切。然而鲁迅的伟大固然在于当周围毫无响应之时，敢于孤身作战，但更在于从不放弃组成一反对旧社会的“联合阵线”的想法，而且终于在人民大众中发现了他所全心全力与之相结合的力量。鲁迅的伟大固然表现于他以最大的执拗攻打敌人，揭破虚伪，暴露黑暗；但又表现于他以同样程度的执拗守卫真实的光明，并以严肃而宽容的态度对待一条阵线上的朋友和同志。这一面与那一面紧相结合，才构成了完整的鲁迅的战斗人格。

总之，这一类的观点之产生就是由于只能认识，只能亲近鲁迅前期思想中的个性论进化论，和唯心论倾向的因素的结果。

这就因为，鲁迅后期的思想虽然是发展到更高的历史水平，然而人们若从小资产阶级立场上去看（即便他是“革命”者）却终究会觉得前期的思想是较为合胃口，易亲近，反而觉得后期思想是有些格格不相入的。例如，鲁迅在《南腔北调集》中劝青年艺术学徒应“注意于中国旧书上的绣像与画本，以及新的单张的花纸”，由此而从事创作，“我敢相信，对于这，大众是要看的，大众是感激的！”——对于这样诚挚的话，小资产阶级知识分子读了，纵不发生反感，怕也不易引起感动。而宁愿只去反复地读“生命不怕死，在死的面前笑着跳着，跨过了灭亡的人们向前进”（《热风》）那样的在鲁迅早期所写的比较抽象的句子的。[1]

比了鲁迅活着的时代，旧社会是在人民大众的力量撼摇下更急切地瓦解着，从这里面更多地抛出无数的“破落户的漂零子弟”。他们在“不平，反抗，战斗”中接触到鲁迅的光，然而他们往往只能从一个片面去接近鲁迅前期的思想。他们自以为是和当年鲁迅一样处身在周围一切无非是黑暗与虚伪的世界中，“惟黑暗与虚无乃是实有，却偏要向这些作绝望的抗战”（《两地书》）依然是他们的基本情调。他们总以为鲁迅的伟大就在于敢把别人所认为光明和希望看出其实只是虚妄，就在于

---

[1] 胡风先生在最近一篇主客对话体的文章中引录了《热风》上这一段话后，因为上文还有“人类的渴仰完全的潜力，总是踏了这些铁蒺藜向前进”，便很得意地向“客”说：“老兄，不要太大意了。潜力啦，生命啦，照现在的行情，在诗里也是用不得的，用了就会被套上一顶你所痛恨的‘唯心论’的帽子，那可算不得什么‘人生意义’呵！”

三十年前《热风》的作者用“人类的渴仰完全的潜力”来说明“生命”的自然进步发展，表现了唯心论的倾向，我们却并不能因而贬抑其历史的进步作用。可是三十年后的胡风先生在并不是“诗”里为之解释说，“革命的思想总是现实存在，或人生渴望的反映”，却使人无法可想，只能用“现在的行情”来估量一下了。请问胡风先生：真正的唯物论者会用“人生渴望的反映”来说明“革命思想”么？——“主客”相对大笑三声“哈哈哈”是解决不了问题的（胡风先生文见文协总会出版《五四谈文艺》）。

敢说，“绝望之为虚妄正与希望相同”，他们却不承认鲁迅的伟大更在于他终于从人民大众中发现了值得信任的力量，全心全力献身于人民大众中的真实的希望与光明。他们一天脱不出“破落户的漂零子弟”的身份，就一天不能够到达鲁迅后期的“热烈地拥抱着所是，也热烈地拥抱着所非”的那种更博大，更提高的战斗精神。——曾在《希望》上发表的舒芜先生的“鲁迅的中国与中国的鲁迅”就正是这种“破落户漂零子弟”式的对鲁迅的赞歌的代表。

而且如果站在这样的立场上，甚至于鲁迅初期的思想都还不可能完全了解。例如“有一分热，发一分光”这是人们惯于引用的话。在那里，鲁迅甚至说了，“此后如竟没有炬火，我便是唯一的光”；然而接下去的话却常常被忽略了：“倘若是有了炬火，出了太阳，我自然心悦诚服的消失，不但毫无不平，而且还要随喜赞美这炬火或太阳，因为他照了人类，连我都在内。”（《热风》）

在周围都是黑暗的时候，敢于做“唯一的光”；但又准备着一旦有了太阳的时候，就情愿接受光明的普照。——这才是鲁迅的真精神。

从初期的这种宣告到他一生最后时期所说："为着现在中国人的生存而流血奋斗者，我得引为同志，是自以为光荣的。"（《且介亭杂文末编·答托洛斯基派的信》）——其间是有着一贯之处的。

然而在初期，这种精神只能表达在这抽象的形式下，由这里开始，到那"足踏在地面上"的"切切实实"的语言，其间并不是没有迂回曲折，没有质的飞跃，没有艰难，苦斗的历程的。——懂得这，才懂得中国人民中的伟大先驱者——鲁迅的道路。

论马恩的文艺批评

荃 麟

一 前 言

马克斯与恩格斯对于文学的见解，主要是显示在那为数不多而非常珍贵的一些通信，批评论文和断片里。虽然关于艺术以及一般意识形态的基本理论，在他主要的哲学历史著作中几乎都涉到了。

这些论文，信札或断片，大都已经收集在苏联共产主义学院文艺研究所所编的《科学的艺术论》中。[1] 这中间，比较为我们所熟知的如恩格斯给哈克纳斯的信，

[1]《科学的艺术论》有适夷译的中译本，这里所根据的，除了楼译本以外，并根据《海上述林》，欧阳凡海编译的《马恩科学的文学论》，以及美国国际出版局的 *Literature and Art*，参证各译本而引用的。

马恩二人给拉萨尔的信，恩格斯给敏娜·考茨基的信，恩格斯论哥德及对葛林的批评，恩格斯给恩斯德的信，及对恩斯德的批评，恩格斯对亚历山大·雍格及青年德意志派的批评，对于乔琪·威尔特的批评。以及马克斯关于莎士比亚、海涅、席勒、巴尔扎克等的断片。这些论文及信件与断片，不仅给无产阶级的美学和现实主义的文艺，奠定了巩固的基础，而且也在文艺批评的方法上，思想斗争与统一战线关系上，给我们建立了宝贵的规范。学习这些方法，对于建立严谨的文艺批评工作是件重要的事情。

本文的目的，即是想从那些批评论文，通信和断片中间，提出下列各个问题，作一个初步的研究。

二　马恩文艺批评的出发点

从上述的那些论文中间，我们首先看到的，即是马克斯、恩格斯对于任何作品——不管是同志的、同路人的或古代的作品——总先从这样一点入手，即是客观地去考察一件作品中间所反映的社会阶级关系，是否符合于历史现实；或是它所达到的某种正确程度。恩格斯在给敏娜·考茨基的信中说："我以为社会主义的倾向的小说，只要忠实的描写真实的社会关系，打破不合理的幻想，进而动摇布尔乔亚底乐天主义，使现存秩序底永远支配权发生疑问……"同样，马克斯在《论英国现实主义作家》中，也指出了这些作品的功绩，主要即是"比一切政治家政论家道德家等全体所做的更多暴露一些政治与社会的真实"。暴露现实的真实关系，这是马恩对于作品的一个基本要求，这也是现实主义的基本要求。马克斯、恩格斯从来不像一些繁琐庸俗的批评者，不得要领地从一些枝节问题上，或是先从作家的观念上去入手，他们总是先把握这基本的一环，然后去进行剖析作品和作家的思想，希尔莱尔在《论马克斯与世界文学》[1]中，也特别说到"马克斯与恩格斯关于为文学艺术的一切意见之中，不断地反复着现实的正确描写，'真实关系'的表明，对环境的深刻研究，社会发展中的主要诸倾向底指明的要求"。这可以看作马恩批评方法的一个基点。自然，这里所谓"真实关系"，并不是所谓"详

[1] 见欧阳凡海编译的《马恩科学的文学论》。

细情节的真实”或是所谓“简简单单的现象”[1]，而是从经济关系上去认识阶级斗争真实发展状态，用恩格斯的话来说，就是“典型环境的真实”。瞿秋白在论“恩格斯与文学上的机械主义”中说：“恩格斯研究问题的方法，的确是唯物论的辩证法的模范：必须暴露一切历史现象、社会现象和文艺现象的特性。这些特性是一定阶级在一定社会经济发展过程之中所形成的，这里要注意现实的许多阶级之间阶级力量的对比。”[2]

这里所谓“特性”，即是所谓“典型环境”的特征；而同时我们也可以看到，这种“暴露真实关系”的要求，也并不是像普列哈诺夫所说那样“单是分析就可以满意了”[3]，而是把这种“暴露”，看作是“动摇布尔乔亚的乐天主义和现在秩序支配权”的一种战斗。把文艺批评作为无产阶级斗争的武器和这个斗争的一个组成部分，在世界文学史上是从马克斯、恩格斯开始的。

资产阶级的文艺批评，一般总是从作家主观的思想

[1] 这是“青年德意志派”的说法。

[2] 见《海上述林》。

[3] 普列哈诺夫在《法国战前文学与法国图画》中说：“我们不应说艺术应当怎么样，从我们观点看起来，单是分析就可以满意了……”

情感去出发。马恩的批评则从客观现实关系的反映上去出发。马恩的这种批评方法，是根据于他们那科学的唯物史观的学说。文艺是作为阶级的意识形态而存在，在文艺作品中所描写的事物现象，本质上都是社会和阶级关系的反映，这种反映有正确的、歪曲的，有深刻的、有表面的，所以要正确去了解它和评价它，不能不是从它所反映的本质关系上去究明。作品所反映的现实愈正确愈深刻，也就愈显示出历史的真实法则。适应于历史发展的法则（阶级斗争的法则）而去推动现实前进，这是革命者所要求的。所以现实性愈强的作品，也一定具有更大的革命功利性。批评家的任务，不仅在于鉴赏和解释作者的主题，更主要的是在发掘作家所表现的事物中的本质关系，从这里去评价它的现实意义。这种关系，不仅在读者，不易一下看出来，甚至连作者自己常常是不自觉地表现出来的。批评家是从科学的说明上去帮助作者和读者的理解，使作品内容达到更高的阐明。例如马克斯从莎士比亚作品中去看出货币的本质意义[1]，这在莎士比亚自己也许没有这样透彻的理解的，而经过马

[1] 见马克斯《哲学经济手稿》。

克斯阐明，便更显示出了莎士比亚作品的重大意义。在这种意义上，文艺批评事实上也是一种创作，它甚至是在比创作更高的地位。

从马恩的每篇批评中间，我们都可以看到这种例子：在批评哈克纳斯的《城市姑娘》中间，恩格斯批评的中心就是在指出她所描写的伦敦东头工人生活，和八十年代的英国劳动运动的现实状况并不相符。在“《城市姑娘》里面，工人阶级是些消极的群众，不能够帮助自己什么，甚至于不企图帮助自己。一切企图——要想从那种麻木的穷困之中挽救出来的企图——都是从外面来的，从上面去的。然而假如在圣西门、欧文时期，一八〇〇到一八一〇年的时候，这是正确的描写，到了一八八七年，而且一直认为‘解放工人阶级是工人阶级自己的事情’是领导原则——这种描写就不对了”。哈克纳斯纵然在描写伦敦东头工人生活上，达到了“详细情节上的真实”，但是忽略了当时英国劳动运动的特征，因此也就歪曲了劳动运动的原则，所以“这篇小说不是充分现实主义的”。

在马克斯和恩格斯对拉萨尔（他是他们的同志）的

佛兰兹·式直庚剧本的批评中，两个人都同样的把中心放在农民运动和当时贵族的民族运动的关系上。恩格斯说，“照我看，似乎这对于农民运动的忽略，正是你所以把贵族的民族运动在一点上画得不正确，因而不能看出式直庚底命运中的真正悲剧成分的原因”，马克斯也指出:“…… 农民（特别是农民）的代表以及都市中革命分子的代表，必须成为一种可以感观到的和活动的背景，如此你就可以更大规模的在最纯粹的形态中表现出最现代的思想了。但是你现在实际上作为主要思想的，除开宗教的自由以外, 却只有市民的团结。”两个人的着眼点，可以说是不谋而合的，这也就看出他们是怎样从正确地运用唯物辩证方法，而得到一致的结论。在论及巴尔扎克时候，马克斯和恩格斯给予他极高评价，也正是因为他“给我们一部最好的法国‘社会’的现实主义历史”，“他描写了这些（贵族）夫人怎样让开自己地位给那位资产阶级的妇女，而资产阶级的妇女的出嫁，已经为着金钱或者首饰衣裳了，他在这个中心问题的周围布置了法国社会的全部历史，从这个历史里，我才知道更多的经济上的详细情节……这里甚至比一切历史家、经济学家、统计学家在这时期里的著作合拢的材料还更多些”（恩格斯）。“巴尔扎克在其自己最后一部小说《农民》里，一般的表现他深刻的了解现实的社会关系，而且很准确的描写着……关于小农与高利贷者之间的关系。”（马克斯）这绝不是像有些人所说过，这是由于马恩对于经济学上的兴味[1]，而是他们对于艺术上现实主义最正确的见解。这里还看出马恩对巴尔扎克的评价比自然主义的左拉高得多，因为后者只是真实情节的描写，而从巴尔扎克这种“真实关系”的暴露中，则明确地见到“他自己所心爱的贵族不可避免的堕落，而描写了他们不会有更好的命运，他见到了当时所仅仅能够找得着的真正的将来人物”。恩格斯就是从这个阶级斗争关系的观点上，肯定了这是巴尔扎克现实主义的伟大胜利之一。

此外，如恩格斯的论易卜生，是从当时挪威的阶级关系形势来肯定易卜生戏剧的意义[2]；马克斯的论莎士比亚，特别重视他对于金钱关系本质的深切洞悉。这些例子都是说明辩证唯物主义者的文艺批评底特点，它总

[1] 这是梅林格的意见。

[2] 恩格斯:《恩格斯底易卜生论》，欧阳凡海编译《马恩科学的文学论》。

是从阶级观点，从革命利益观点去处理作品，而把原则结合于现实与作品分析之中，并不如像现时一些资产阶级或小资产阶级的文艺批评家，总是喜欢从“人生”的观点去看作品，把“对于人生的提高”看作是唯一的标准。后来列宁的文艺批评也是与此一致的。并且从这个特点，我们还可以看到毛泽东关于文艺批评上政治标准第一的说法，和马恩的批评观点基本上是一致的。考察作品中间社会关系表现的正确，和由此而来的“打破不合理的幻想，进而动摇布尔乔亚底乐天主义”，以暴露统治阶级的丑恶与革命力量的对比，这些都是属于政治意义的。这和毛泽东所说“鼓励群众同心同德，反对倒退促成进步的东西都是好的”和“鼓动群众离心离德的，反对进步，拉着人们后退的东西都是坏的”，意义是一贯的，因为符合于历史现实和在发展法则的，一定就是进步的东西，反之就是后退的东西。

三 “席勒化”与“莎士比亚化”的意义

其次，让我们来考察一下为大家所熟知的，马克斯与恩格斯所谓“席勒化”与“莎士比亚化”的意义吧。瞿秋白曾经说：“这在马克斯和恩格斯，是有原则上意义的，这就是鼓励现实主义，而反对浅薄的浪漫主义——反对主观主义唯心论的文学。”[1]

“席勒化”——所谓“把个人作为时代精神的单纯传声筒”——也有人把它解释为一种教条公式主义，其实并不尽然，虽然“席勒化”的发展也可能通向教条主义。教条公式主义多半是从机械唯物论而来，有如恩格斯对于恩斯德所批评的才是。这种机械论的实质固然也可以说是唯心的，但是和席勒的唯心主义并不是一回事。所以恩格斯并不把二者混淆为一。事实上，从席勒的诗中，我们也感觉不到教条主义的气味，而是他自己晚年主观精神的一种反映。恩格斯也称赞过年青时代的席勒，说“他渗透了当时全德意志社会的愤激的精神”，说“席勒写了《强盗》，表扬胆敢向全社会挑战的宽阔的青年”。[2]所以说席勒是有政治倾向性的。但是这种反抗，如果仅是凭借于他那种主观的愤激精神，不是从

[1] 瞿秋白：《马克斯与恩格斯与文学上的现实主义》——见《海上述林》。

[2] 恩格斯：《歌德与席勒时代的德国》，楼译《科学的艺术论》页五五。

社会斗争实践出发，是不能持久的。席勒和歌德一样到晚年都失败了。席勒这种反抗，晚年发展到了只是向主观伦理观念去找出路，把一些抽象的观念，人格的力量，战斗的勇敢等，看作是时代斗争的精神，而通过他的作品来表达他这种主观精神。席勒自然是强调斗争的，但是“对于席勒，所谓斗争只不过是‘世界史上的人物’之间的热闹的决斗，这些‘世界史上的人物’仿佛代表着历史的力量，他们之间的决斗就代表着历史的冲突，那算是决定一切的动力，那算是社会发展的要素。……因此他把阶级斗争的意义取消了”。[1]这就是所谓把个人作为“时代精神的单纯传声筒”的意思。马克斯主义文艺是要求从客观实践出发的，席勒主义却是从作者主观的要求出发。拉萨尔在处理式直庚这个人物，多少是犯了这个毛病，所以马恩都拿这一点向他批评。我们中间也常常有这种倾向，即是把作品中人物作为作家自己主观精神的化身，把作家的主观精神不适当地放在人物的身上去，把自己知识分子的精神装在工人的身上，或是像曾经被毛泽东所批评过的，从超阶级的爱和人性论

[1] 瞿秋白:《海上述林》页六。

出发的倾向，都可以说是属于同一型的创作方法。

席勒是十九世纪初死去的。在十九世纪中叶，这种“席勒化”的创作倾向，在德国被表现为多种样式。由于反对政治的腐败，“这些政治的反对因素和德意志哲学在大学里的生吞活剥，以及和法兰西社会主义特别是圣西门主义的误解，形成了风靡一八三〇年以后的德国的思想混乱”。[1] 在这种空想的，主观主义的思想支配之下，正如马恩对于空想的社会主义的浪漫主义所批评的，“他们不得不出现了个人所考察的活动，代替社会的活动，出现了空想的条件，代替解放的历史的条件，出现了从头脑里所考察的社会组织，代替无产阶级逐渐进行的阶级组织”。[2] 这种思想反映在文学上，便是主观的唯心主义文学。

所谓“莎士比亚化”，根据马克斯恩格斯的解释，应该是如实地表现事物的本质关系，以及在性格表现上的多样性与丰富性，这是唯物论者所要求。马克斯在《资本论》中再三提到莎士比亚时，就指出莎士比亚“如实

[1] 见《马克斯恩格斯全集》第八卷“德国的革命和反革命”。

[2] 见《空想的社会主义的浪漫主义》（楼译《科学的艺术论》页七五）。

地叙述着货币的本质”。他以为在洞悉这种本质关系上，莎士比亚“比我们小布尔乔亚理论家知道的更多”，而在给拉萨尔的信中，马克斯又在指出拉萨尔应该去表现农民与民族运动的关系之后，劝他应该更“莎士比亚化”一点，这意思也是很明显的。恩格斯给拉萨尔的信中，指出一个成功的艺术应该具伟大的理智的深度、历史的内容以及莎士比亚式的活泼和动作的丰富性，这是指莎士比亚对于人物性格的处理上底丰富与生动性。马克斯和恩格斯的意思，归纳起来也就是恩格斯在给哈克纳斯信中所说的“典型环境中的典型性格”的意思。一个作家只有对客观现实能够从本质关系上去把握它的典型特征时，才能创造出具有典型意义的丰富而生动的人物性格。在莎士比亚无论喜剧和悲剧中间，我们可以看到他不是像自然主义作家去重视表面现象的细节，而总是从他的人物性格与抒情或讽刺的诗句中间暴露社会的真实，像我们所熟知的哈孟雷特、李尔王等，显然是从这些典型性格上反映出一种历史与阶级的本质矛盾，莎士比亚当然不是阶级论或唯物主义者，而且还曾经被一些文学史批评家认为是个庸俗的市侩式的人，然而不管莎士比亚是个怎样的人，他却是深刻地熟悉他这个社会，由于这，才使他认识到许多社会事物的真实关系，因而帮助他创造出那丰富而活泼的典型性格。这一点是可以肯定的。而这一点也即是马恩之对于当时现实主义作家所要求的，这是为什么马恩对于莎士比亚予以这样崇高的评价，他们对于巴尔扎克的称赞，也是出于同一理由的。

马克斯、恩格斯不仅反对创作上那种主观的唯心主义，而且痛恶那种主观唯心主义的批评。恩格斯的批评葛林（Grin）之论歌德[1]，即是一个明显的例子。这是恩格斯一篇最长而最锐利的批评。葛林是所谓“从人的观点上”去认识歌德，他把歌德认为是什么“完全的人”，是“人类的国民”，“人类的诗人”，“在歌德，一切都是人的”，“歌德在今天——即他的著作——是真正的人类的法典”，是“人类社会的理想”，“歌德不能成为国民诗人，因为他背负人类诗人的使命”，说歌德是期望着“从内在解放人类”。他凭着主观去驰骋，反复地强调着“人的本质”“人的内容”“人的概念”玄秘

[1] 见《科学的艺术论》页一二一。

而怪诞的不可捉摸的抽象名词，去震骇着小市民的读者。这是恩格斯所痛恶的。他用非常锐利的态度，斥责葛林的所谓“人”，“不是由男女间所生育，快活的具备肉体的自然的人，而是有更高意义的人，本来的人，天父与精灵在坩锅中煎煮的 Caput Mortunm（渣滓）的人……不是歌德所说的人，而是葛林先生所说的人”。

葛林所谓“从内在解放人类”，正是主观唯心主义者最得意的观念，这是取消了阶级斗争的反动思想。恩格斯斥责他说：“这种纯粹德国式的解放，结果是什么也得不到的。”恩格斯从分析歌德的一切主要作品中来驳斥了葛林荒谬的观点，从德国当时的阶级关系与政治形势上来说明歌德的两重人格和其矛盾的发展，从实际上来肯定他的进步性，也批判了他的退却、懦怯与庸俗。他最后用这样一句话来归结，这句话是值得我们注意的：

由于葛林先生所介绍的——歌德的社会批判，实际上是归结到什么呢？“人”在社会里所责难的是什么呢？第一，是社会跟他的幻想不一致，而这种幻想是意识化着的，特别是青年市侩的幻想，因之市侩的现实假使跟这种幻想不一致，这是因为这不过是幻想。但他们的幻想，却也因之愈加照应了市侩的现实。他们跟现实不同的地方，只不过一般所有状况之意识的表现，跟它的状况不同了，因之这种幻想的实现是不能成为问题的。对此点最好的说明，便是葛林先生对维特的解释。

第二，“人”的议论，是针对着威胁德国市侩制度的一切东西的。在他对七月革命，对保护国税的憎恨里，很清楚的表现着对独立进步的资产阶级，被压抑而偏狭的小市民的憎恨。

这里是说明这种主观唯心主义批评的反动实质。

从恩格斯对于这种主观唯心主义的批评的驳斥，也使我们想到了毛泽东对于那些“人性论”的驳斥，所谓“人性论”也就是从人的观点上去看文艺，葛林说，“歌德的处女作是纯社会性（即人性的）……歌德尊重身边的微细的有兴味的事”。恩格斯斥责他说：“‘人性’穿上了安乐生活者的外套，暴露了自己是一个真正的小市民。”

四　关于“性格化”

文艺批评固然首先从政治标准上来考察，即是从真实关系的反映这一点来考察，但是这种真实关系必须是通过具体的人物性格来表现，所以性格化是艺术上一个重要的问题，所谓艺术标准也是在这一点上和政治标准取得统一。

马恩对于性格化的基本观念，就是表现在恩格斯“典型环境中的典型性格”那句名言，这是为我们所熟悉的。现在我们再进而研究一下他们对于这问题的具体解释。

希尔莱尔在他的《马克斯与世界文学》中，认为“个性化”与“性格的要求”是从布尔乔亚底解放产生的，布尔乔亚要求个人自由，个性解放，所以个性化或性格化的问题，便被提到创作的重要地位上来。但是，“事实上在布尔乔亚社会中，自由是虚构的”，所以个性化或性格化的命题，在布尔乔亚文艺上，便被个人主义地去理解，因此恩格斯在给拉萨尔的信中说，“你很正当地反对目前流行的恶劣的个性化，这是堕落到小聪明的玩弄，而且成为没落后的文学的基本征兆”。这里所谓恶劣的个性化，就是那种没有意义的，单纯从技巧出发的“形象化”理论。然而马克斯和恩格斯却是非常重视性格的问题。马克斯曾经斥责那种对革命领导者的描写，“总是写得神乎其神，写他们公式的形态——脚穿短靴，头带佛光，这种神化了的拉斐尔风的肖像画，是失却一切描写的真实性的”。同时，即使“去掉这种短靴与佛光，深入到这班人的私生活，使他穿上普通服装，和一切形形色色跟在周围的人一起，指示给我们看，但虽然如此，离开现实地人物与事件的真实描写还远得很”。[1]恩格斯在给敏娜·考茨基的信中，也不仅批评了她把亚诺尔特这个人物“溶解在原则中”是种公式的错误，并且也指摘另一个叫叶尔莎的人物虽然“保有特定个性的特征”，但却是“多少理想化了的”。

在恩格斯给拉萨尔的信中，还这样写着：

[1]《关于政治领导者描写的真实性》(《科学的艺术论》页四三)。

> 主要的性格，事实上是一定阶级和倾向的代表，因此也是代表他们时代的一定观念，而他们行为的动机，不是在琐屑的个人欲望里去发现，而是在使他们行进的历史主流里去发现。

这和现时一些主张从日常平凡琐屑生活中去发现伟大性格，从一粒沙中去看世界的理论，是多么不相同啊。

从这些话里，我们可以看出，马恩之所谓“性格化”，和庸俗的艺术家从技巧上所理解的“形象化”，从想从个人琐屑欲望里去追求伟大性格的理论，是并无共同之处的。马恩所要求的性格化，即是在诸种环境之下的诸种性格，“每个都有鲜明的个性，各个人都是典型，但同时完全是特定的个性，是黑格尔老人所谓‘这个’”（给敏娜·考茨基的信），也就是说，性格必须是具有社会意义的，典型意义的，不是为性格而描写性格，而是为了要把一种社会特征通过性格而表现出来，这就是所谓“被典型化了的个性”与“被个性化了的典型”。马恩对巴尔扎克和莎士比亚的创作方法上评价最高的，是这一点。她对于哈克纳斯与敏娜·考茨基所规劝的，也就是这一点。

在给拉萨尔的信中，恩格斯在性格化一点上，并且特别指出“人的性格不但表现在他做的是什么，而且表现在他怎样去做”。这就是说性格的描写不仅是为了表现这个人的个性，而且是写出“围绕着他的典型环境”是怎样在驱使他行动，只有这样的描写，才能使我们不仅知道什么样的生活，而且知道生活的背后是什么，使我们从人物性格中去认识社会的本质和其发展。哈克纳斯的《城市姑娘》只是写出工人的生活状况，拉萨尔的“式直庚”却是把人物写得近乎理想化而因此和现实关系脱离，所以马恩特别在这里跟他们指出了性格化正确的解释。

所以，我们可以看到，马恩对于性格化的见解，首先是和把个性溶解于原则中的公式主义方法，其次和理想主义的性格描写方法，最后和自然主义的性格描写方法区别开来，而提出“典型环境中的典型性格”这一个现实主义的正确方法。

五 “倾向性”的问题

所谓“倾向性”的问题，即是文艺作品是否应表现政治倾向的问题，实际上是并不存在的。无产阶级文艺理论的奠基人，首先是从唯物主义与阶级斗争的学说上去奠立这个理论的。从马恩开始，文艺才被看作是一种阶级的思想斗争的武器，有什么理由使人们去想像他们会反对文艺的政治倾向性呢？而且恩格斯在给敏娜·考茨基的信中，分明的说了：“我绝不是倾向的反对者，悲剧之父阿斯契拉斯和喜剧之父阿里斯托芬斯都是表现得很显明的有倾向的诗人，但丁和塞发提斯也是如此，而席勒的《阴谋与恋爱》底主要价值，就是在于它是第一部德国有政治倾向的戏剧。现代俄国和挪威的写了最优秀的小说的作家们，也都是有倾向的。”

但是问题是怎样发生的呢？因为恩格斯在给哈克纳斯的信中说过这样的话：“我决不责备你，怪你没有写出一部纯粹社会主义的小说，像我们德国人所说的‘有倾向的小说’，就是一定要在小说里面，宣布作者的社会思想与政治思想。我完全不是这样想法。”于是有些人，就以此为据，来解释作品中并不需要具现倾向性，作家不应该在作品中宣布政治思想与社会思想，以为作家是要忠实地去描写客观现实就够了，倾向性的说法是要破坏创作情绪的。但是在这里，我们要请那样说法的先生们，首先要理解所谓“像我们德国人所说的‘有倾向的小说’”究竟是些怎样的小说呢？让我们看一看马恩在《德国的革命与反革命》中所说的话：

> 德意志的文学上蒙受因一八三〇年的事变，陷全欧于政治激动的影响，几乎当时一切作家，都宣传一种生硬的立宪主义，或一种粗野的共和主义。这渐渐养成一种风气，特别是二三流的作家们，一定用引人注目的政治讽刺，以填补自己作品的粗糙，诗歌、小说、批评、戏剧、一切文艺作品，都充斥着所谓“倾向”，即多少带着反政府色彩的情形的表现。这些政治的反对要素与德意志哲学的在大学里的生吞活剥，以及和法兰西的社会主义，特别是圣西门主义的曲解混合起来，风靡了一八三〇年后

德国的思想混乱，便愈加狂暴了。

这样的空想的社会主义“倾向性”，实际上是一种非常错误或甚至是反动的“倾向性”，这种所谓“倾向性”必然是和一种幻想和机械主义结合着的，前者即是马恩在《共产党宣言》所批判的，所谓“……用小资产阶级及小农的尺度，及以小资产阶级的见地保卫工人的事业是当然的，于是形成小资产阶级的社会主义，圣西门……也是此种学派的首领”，后者即是像恩格斯在给恩斯德的信中所指出的那种机械主义的倾向。“恩斯德以及其他青年反对派的领袖，这些小资产阶级的半无政府主义者，的确是些反无产阶级意识的代表，他们表面上说些极左的空谈，实际上只是在发挥自己的个人主义以及资产阶级性的自由主义。”（瞿秋白）[1]

把恩格斯对于这些错误的空想的“倾向性”的反对，误解为他对于正确的革命政治倾向的排斥，这是多么的可笑呢。

恩格斯确是反对公式主义地来表现倾向性，因为

[1] 瞿秋白:《恩格斯和文学上的机械论》——见《海上述林》。

这是不能达到教育的作用的。在给敏娜·考茨基的信中他这样说，“但我以为倾向必须从状势与行动流露出来，无需予以特别标明（Particular Indication），作者也不应该向读者把他所描写的社会矛盾将来在历史上如何解决现在就硬嵌（Obtrude）进去”，这和他“典型环境中的典型性格”的说法是完全一贯的。这种“特别标明”和“硬嵌进去”的倾向性，决不会是现实主义的，在政治上也是没有力量的。这和毛泽东所说“缺乏艺术性的作品，无论政治上怎样进步，也是没有力量的，因为我们既反对内容有害的艺术品，也反对只讲内容不讲形式的所谓‘标语口号式’的倾向”是完全同一意义。当然谁也不会引毛泽东这些话，而解释为对于政治倾向性的排斥。

而且恩格斯接着还说明，“特别在我们目前状况下，小说主要是以资产阶级读者为对象时，即不是直接以我们阶级的读者为对象时，因此我以为，一本社会主义的倾向小说，只要能够忠实地描写真实的相互关系，破坏对于它们向来的幻想，粉碎资产阶级世界的乐天主义，注入对于现成秩序的永恒不变性底怀疑，那么，即使作者并不提出特定的解决，或甚至不公开地表示他站在某一方面，也可以完全达到他的目的的”。这说明，是在当时文艺还不能直接为无产阶级读者所欣赏的时候一种情形，然而所谓“破坏幻想”，“粉碎资产阶级乐天主义”等等，显然即是一种倾向，不过在那种情形下，即使作者不公开地把立场写出来，也可以的，如果在无产阶级已经建立起它自己的文艺，而且以这文艺作为无产阶级斗争的直接武器时候，仍然死板地去解释或甚至曲解这句话的意思，显然是和恩格斯的原意相背的。

事实上，恩格斯曾经猛烈地斥责那些没有倾向性的作品而鼓励着真正能表现倾向的作品，例如他批评青年德意志派的劳贝和居纳说：“留有光荣记忆的青年文学的‘倾向性’，好久以来已被他忘掉了，这两个人完全在追踪空虚而抽象的文学趣味。”他高度评价乔琪·威尔特的诗，就因为他“是德国无产阶级最初的最鲜明的诗人”，“因为他那些社会主义的和政治诗，在创造性、机智，特别在感觉力是凌驾法拉里希拉特的”。从上面所述，我们可以看到，恩格斯所反对的，是那种反动的政治倾向性，是那种机械主义的“硬嵌进去”的倾向性，而他要求的则是从“状势与行动中流露出来的正确的革命的”倾向性，而且特别强调着这种倾向性。恩格斯是从政治与艺术的统一观点上去进行他的批评的，这和毛泽东所要求的“政治与艺术的统一”是同一意义。他之所以要对敏娜·考茨基说那一段话，就因为她犯了一个毛病，即她把亚诺尔特这个人物的性格在原则中融解了。因此他用这段话解释这是“她缺点的根源。”

六　作家的世界观与创作

和“倾向性”的问题有关，而在批评上作为更重要问题的，是作家的世界观与其作品的现实主义内容底关系问题。这个问题是经常被人们所讨论着的。在几年以前，苏联的潮流派卢卡契、里夫西茨、凯曼诺夫等曾经在这问题上引起一种混乱的见解，后来是澄清了，但是这种见解，在我们中国文艺界中也是可能产生影响的。

潮流派关于这一问题的见解底材料没有被译过来，只能从批判潮流派的文章里（一九四〇年中苏文化的《十月革命纪念特刊号》和一九四一年的《文艺特刊号》

上刊载的，以及顾尔希坦的《论文学中的人民性》）[1]看到所引证的材料，根据这些材料，潮流派的见解是这样的：世界观和创作上的现实主义是可以对立的，甚至“反动的保守的世界观，是创作优秀的艺术作品的有利基础”。

例如卢卡契在《现实主义史》中指出，斯汤达尔的世界观比巴尔扎克的世界观“更明了和更进步”，然而“巴尔扎克，虽然他的世界观是虚伪的，反动绝顶的，但是他比他的更明了和更进步的思想上劲敌更完全和更深刻的反映了一七七九至一八四八年的时代”。他论到托尔斯太时，又说“托尔斯太的现实主义力量，他的艺术的动情和深刻，他的小说的雄壮力量，是由于他的幻想，他的反动的思想所产生的”，然而在一九三九年的《文学遗产杂志》上，卢卡契又写着：“托尔斯太所描写的社会生活的画面，比巴尔扎克和斯汤达尔所描写的更死板，更无人性，更机械。这种见解，是导源于给托尔斯太以艺术力量的同一泉源：托尔斯太用被剥削的农民

[1] 这节所引用的都是《苏联社会主义的文学及其最近文艺论争》和《苏联论争诸问题》、《最近苏联文艺论争之真相》诸文，都见《中苏文化》。

的眼光来观察社会。”这即是说，托尔斯太作品优秀之处是由于他反动的空想，而他作品的缺点则恰是由于“用被剥削的农民”的观点。

潮流派所找到马恩批评中的唯一“证据”，就是恩格斯给哈克纳斯信中所说的，“巴尔扎克不得不违背他自己阶级的同情和政治成见，看出自己所心爱的贵族必然灭亡，和他把他们描写成没有好命运的人，他看出了未来的真正人物，我认为这一点，是现实主义的伟大胜利之一，是老巴尔扎克最伟大的特点之一”这句话，于是卢卡契解释说:“巴尔扎克是由于落后的‘世界观’，所以成为伟大的艺术家。”而且根据于这样的论点，另一个潮流派批评家格里布就说了:“在十九世纪的古典文学中，我们发现有许多伟大作家具有保守的或反动的世界观——如歌德、巴尔扎克、托尔斯太……为什么当时歌德，巴尔扎克，托尔斯太会成为伟大的艺术家呢？”

潮流派的这些理论最初是由于他们反对教条主义、自然主义而产生出来的，他们反对教条公式和自然主义，结果却连马恩的阶级论也放弃掉了，忘掉了阶级性的概念，也忘掉了阶级内容和马克斯主义的方法，于是他们陷入到非唯物论的泥沼中间去了。

要正确地去理解作家的世界观与创作的关系，仍然应该先回到马恩的唯物论观点上来。

“存在决定意识”这是唯物论的一个基本原则，但是这却不是像波格达诺夫那样把阶级意识看成那么一种机械的东西。特别是在社会变革猛烈的时代（如歌德、巴尔扎克、托尔斯太等所处的时代），艺术家意识的内在矛盾是非常剧烈的，从这种矛盾之间，我们才能看到一个作家世界观本身的矛盾，和创作本身的矛盾；这种矛盾，却不是绝对的矛盾，而是复杂的矛盾底统一。

关于这种矛盾，我们最好以恩格斯对于歌德的批评来作说明。恩格斯在论歌德（《诗歌与散文中的德国社会主义》）中说：

> 在这里，我们当然不能详细论述歌德本身，我们只能提醒注意一点：歌德在他作品中是以两种不同的立场来对待他当时的社会的。有时他对社会是敌对的……但是在别的地方

相反地和社会亲善，自行驯服于“社会”，例如在大部分温和讽喻诗及许多散文中……他甚至进一步反对激进的历史运动，而为旧社会辩护，特别是在论及法国革命的许多著作中是如此。歌德并不是站在德国生活的某一方面，去反对他所憎嫌的其他方面，他常常是在各种不同的心情中发现他自己。他内心中间不断在斗争：一方面是个天才诗人，另一方面又是一个佛郎府党族的谨慎儿子或魏玛的枢密顾问官。前者对于四周环境抱着嫌恶的心性，后者则迫使自己必须和它妥协，和它相适应。因此，歌德有时是伟大的，有时是渺小的，有时他是反抗的，嘲笑的，蔑视世界的天才，有时是工心计的，满足于一切的狭隘的庸人。歌德不能战胜德国生活的悲运，而相反的是它战胜了他……

歌德这种矛盾的社会原因，恩格斯在《德意志意识形态》中也解释了（“歌德与席勒时代的德国”——《科学的艺术论》)。对于世界社会的这两种矛盾看法，也反映在他创作中，因此歌德作品中有现实的东西，也有非现实的东西（恩格斯举了他的《伊斐奇里亚》和《假面跳舞会》的例子），而即在《浮士德》中间我们也显然可以看出这种深刻的矛盾。这就是说，使歌德作品具有现实主义的力量的因素是他进步的反抗的意识与观点，而使它们具有那种庸俗主义的精神之处，正是他那种退却的妥协的意识与观点。只有像葛林那种唯心论的批评家，才相反的去评价它，而潮流派的里夫西茨也因为要证明歌德的世界观是全部反动的，因此也就把恩格斯对于歌德底肯定的部分完全抹杀了。

马克斯和恩格斯从来没有离开具体情况，机械地去把一个作家世界观作为一种不变的整体来判断它的反动或进步，他们总是从阶级的分析中，从具体作品的研究中来予以公正的评价。即如关于巴尔扎克，恩格斯分明是说他“违背自己的阶级同情和政治成见”，“看出他所心爱的贵族必然灭亡”等等，固然他是同情那要灭亡的阶级，但是当他写出他所深深同情的贵族男女时，“他的讽刺是再没有更尖刻的了”，而他所赞叹的人物，却正是“他的最利害的敌人——圣玛丽修道院的共和主义的英雄们”。这里不是显示着巴尔扎克在内在意识中，在他对历史与世界的观点中存有着一种微妙的矛盾吗？而这种矛盾的斗争结果，表现在创作上，使他“不得不违背他自己的阶级同情和政治成见”，这是使他创作出现实主义的作品的因素，自然在另一方面，我们还不得不指出巴尔扎克世界观这种进步的因素，终于还不能不受到它阶级与时代的限制，这也是恩格斯所说的“理论思维的历史限制性”。

关于巴尔扎克，我以为瞿秋白的评断是很公正的，他说：

> 一般的说起来，巴尔扎克虽然偏重于所谓“旧式的正直的商业资产阶级”，然而他是一般资产阶级意识的代表，他是一个资产阶级的艺术家，因此不管他怎样同情于贵族和宗教，而他的《人的滑稽戏》(按即《人间喜剧》)却仍旧成了“教皇国”——梵谛冈的禁书，罗马教皇认为这部大著作是赞美科学而“亵渎宗教”的。

> 马克斯和恩格斯见到了巴尔扎克的创作方法，是资产阶级现实主义的文学的模范，他们认为巴尔扎克的作品的确能够暴露资产阶级和资本主义发展的内部矛盾。这是资产阶级的革命现实主义的最高表现。
>
> ……然而恩格斯并没有叫无产阶级作家去完全模仿巴尔扎克。恩格斯清楚地指出来：巴尔扎克所描写的，所了解的，只是资产阶级和贵族阶级之间的阶级斗争。……资产阶级的现实主义文学，始终没有充分反映工人阶级斗争的可能。无产阶级作家应当采取巴尔扎克等等资产阶级的伟大的现实主义艺术家的创作方法的“精神”，但是主要的还要能够超越过这种资产阶级现实主义，而把握辩证唯物论的方法。[1]

这是从阶级论观点上的公正分析，如果离开阶级观点，满足于巴尔扎克的现实主义，这就会走向潮流派的

[1]《海上述林》一九页。

同一思想了。

总之我们如果把一个作家的世界观作为固定的整体去理解时，我们就无法认识世界观与创作的现实主义内容的关系，而只有从当时阶级关系中，从一个作家的世界观本身的矛盾中，去看到他创作本身所反映的矛盾，这样才能认识它们复杂的统一关系，而不致把世界观和创作对立起来，以达到世界观并无用处，或甚至“反动的世界观才是优秀作品的有利基础”的荒谬结论。

这是为什么马恩都曾经热烈称赞了席勒和歌德，而也尖锐地批判了他们。正因为他们不是机械地，而是辩证地去处理批评上的问题。而列宁也是用同样方法，去进行对托尔斯太的批评的。

从这一问题上，使我们更进一步去理解了毛泽东所谓“从效果看动机”的意义。所谓效果（社会实践），就是指一篇作品在社会上实际所产生的积极或消极影响，从作品的社会实践的具体认识上，才能检验出作家的动机。任何作家都可以自命他的动机是善良的，他的世界观是正确的，或自命为马克斯主义者，但是我们不是“看他的宣言，而是看他的行为作品”。“我们是辩证唯物主义的动机与效果的统一论者。”因此我们决没有理由把产生动机的作家世界观和作为效果的现实主义表现对立起来，我们决不能像主观唯心论者，先判定人家作品是什么主义，然后去检验它，或因为某一作家是什么主义，就全盘抹煞他可能的效果，也不能像机械唯物论者只问他表现如何，而不管他的动机，或甚至嘲笑世界观是无用废物，这一切全是非毛泽东的，也是非马克斯主义的方法。

向来一般批评家往往是先研究一个作家的思想，然后去根据他的结论去分析作品，而马克斯主义者总是先分析作品的内容，然后指出它的思想的正确与错误以及发掘它的根源——这是一个重要的区别。

七　关于批评的态度

批评的说服性，首先自然如前所述是建立于正确原则性和其对作品的科学分析上；其次，批评的态度也应该为我们所重视。马克斯恩格斯在批评态度上，也给我们建立了许多可贵的楷模。

这里让我首先举引两个例子：第一，就恩格斯对于哈克纳斯的态度。——这是他对同路人，也是所谓对友人的批评态度。哈克纳斯是个自然主义作家，又是八十年代英国劳动运动的同路人，恩格斯并不像那些抱有成见的人因为她是自然主义者就全部否定了她的作品，他公正地肯定了她“表现了真正的艺术家的勇敢”，和“叙说的真实性”，承认了她对于劳动运动上的某种功绩，但同时又严正地根据于无产阶级的观点和唯物辩证法的方法，批判了她没有表现出“典型环境中的典型性格”，说她歪曲了“解放工人阶级是工人阶级自己的事情”的领导原则。恩格斯绝没有因为她是同路人而降低了他批评的原则性，反之正是由于坚持原则性来取得了对她的说服。他把一八〇〇到一八一〇年的时代和一八八七年的时代向她作了一个分析的比较，说明了环境与性格的关系，又积极地向她举出了巴尔扎克与左拉的例子，正确地解释了现实主义的意义。恩格斯在写好这封信以后，连同他自己所著的《从空想社会主义到科学社会主义》一书，一起送给哈克纳斯，并且还帮忙替她找到德文的翻译者，使她的小说在德国出版。哈克纳斯在回他的信中，坦直地承认了自己的“现实主义的不足”，和反省了这是因为“对自己底力量的信仰还有不足”，而在这以后，哈克纳斯把她的下一部作品《失业》移到社会主义的出版所去出版了。

这个故事，是马克斯主义者对于团结与批评的问题一个典型的例子，也是文艺统一战线运用上的一种最正确的态度。这样的批评不仅帮助争取和提高了哈克纳斯女士，而且是作为文艺思想史上一个永垂不朽的典范。它所包含的教育意义，一直到今天对我们是非常重要的。

第二，是恩格斯对于拉萨尔的批评态度。拉萨尔是他的一个同志——所以这是他对自己同志的批评态度，恩格斯绝没有以党的领导者的地位与姿态去批评他的作品，我们看他对于一个同志的作品是如何的虚心与无私心的态度去研究：

> ……因为好久没有使用了的缘故，我的批评力滞钝得厉害，因之要使我自行说出决定的意见，自必须经过不少的时间。但是对于你的

式直庚是应该采取对那些文学作品（按指一些无聊小说）不同的态度，因此我并不吝惜我的时间。……因此，为了采取公平无私完全“批评的”态度，我暂时把式直庚搁在一旁，把他借给了几个朋友（此间具有文学修养的德国人）。书是有它命运的，常常一借出去就收不回来，因之我的“式直庚”就不得不强行取回。读过三四次以后的印象，和前两次一样，于是相信你的式直庚，是完全值得批评的，现在我可以告诉你我的批评意见。

像恩格斯那样博学的人，对于他自己同志作品是那样的关心和尊重，而自己又那样的虚怀若谷，毫不作轻率的指摘，这种态度是达到使人感动的程度。一个批评家首先要尊重人家的作品，从缜密的研究以得出具体的结果，才能做到“公平无私”。恩格斯是非常称赞拉萨尔这剧本，而且想到党员中间能有这样成绩而得到感激，但是在原则问题上，却是极严正地批评了他。这种批评是比对同路人更严格的。他在信的末尾说：

你可以见到，我对你的作品，是用最高标准——在美学的意义上以及在历史的意义上，也都取着最高的态度；而且只有在这种态度上，我才能作以上的几点指摘，这一点也正是我对你取最高评价最好证据。相互的批评，在我们之间，在党本身的利益上，在好久以前，不是获得了最直率的性质的么？

这里就区别出恩格斯对于同志和对于同路人的批评态度。第一，对同志是取着更严格的标准（虽然原则上都是一样）；第二对同志的批评，是建立在党的利益和党的自我批评的基础之上的。

但是这是否说，马恩在任何场合的批评上，都必须是取那么温和，婉转的态度呢？当然不是的。批评的态度仍然是根据于批评的原则。例如对于敌人，马恩的批评态度是非常严厉的。马恩是反对那种对敌人都是用谨慎与诚恳的婆婆妈妈态度。

你们说稳健谨慎，而歌德说“只有坏坯

子才是最稳健谨慎的”，而你们想从精神中去培养出这样一种坏坯子么？或者你们所谓稳健，是指席勒所说的天才的稳健谨慎么？那么首先请把你们的一切市民，尤其是你们的检查老爷都变为天才。但是所谓天才的稳健谨慎，并非使用上等人的谈吐，不用强调口气和语法，而倒是使用事物的强调以及阐明事物本质的言语。换句话说，所谓天才的稳健谨慎，是超越稳健谨慎与否而清楚明白地去阐明事物的真相。（马克斯：《关于普鲁士最新审查条例的备忘录》）[1]

马克斯在这里反对稳健谨慎，是针对那些企图用法律来限制说话的“审查条例”而言。所以他还说：“因之所谓谨慎同时就是卑屈，诚恳同时就是使人无聊。”这是对敌而言的，不能分清楚马恩对敌友我的态度，而只断章取义地把马恩的话，来讽骂同一战线的朋友，这是现代“英雄们”的狡猾手法。

在思想斗争中间，对于一种未成熟的错误思想，马

[1] 见《科学的艺术论》页一〇。

恩常常是取劝告的态度的，例如恩格斯给恩斯德的信（他原来是社会民主党员），劝告他改正那种机械唯物主义的错误，但是恩斯德偏没有接受他的劝告，后来也加入“青年德意志派”，当恩格斯批判“青年德意志派”时，他俨然以领袖自命，写了一篇文章来责难恩格斯说：“假如恩格斯说我们反对派是‘大学生的骚扰’，那么请他指出来：我们的观点在什么地方离开了马克斯自己的观点？”这时恩格斯就直接的严厉地斥责了他说：“假使这种人会把马克斯的理论和杜林那样的马克斯学说的敌人对于这个理论的曲解，互相混杂起来，那么让别人去帮助他罢，我是干不了这样的事情。”

最后恩斯德和青年派果然脱离了社会民主党，“在艺术上主张百分之百的取消主义，主张‘万方多难之秋’的革命时期用不着文艺，或者说，文艺只应当反映事实，不应当去宣传鼓动”。[1]后来此公终于变成唯美主义者，更后来成为新古典派的创始人了。

对于恩斯德以及德意志青年派那种宗派主义的文学行动与理论，马恩是深恶痛绝的。恩格斯在批评青年派

[1] 见《海上述林》页四八。

亚历山大·雍格的文章中说：

> 雍格先生以极大的力气来证明，黑格尔的理论体系是肯定自由的主观，反抗顽强的客观底支配，但是人们不需要太熟悉黑格尔就会明白，黑格尔是把客观放在更高的位置上的，他是使客观与主观力量取得调和的。他是非常尊重客观的，他（是——编者加）把现实放在比个人的主观理性更高的地位的，并且要求后者理性地去认识这种客观现实。黑格尔并不是主观的自律的预言者，有如雍格先生所说的以及青年德意志派所武断地宣布的。……

而对于这个青年德意志派的狂妄的宗派主义，他说：

> 轻易的胜利使这些青年绅士们变为狂妄而过度自信。他们以为他们自己是世界的历史人物。每当一个青年作家出现，立刻就是一支手

> 枪抵着人家胸口，要人家无条件向他投降，每个人都要求成为文艺上的唯一上帝，在我之前，不准有别的上帝！对他们最轻微的批评就被认为是死敌。在这种姿态之中，这种行动就完全失去其精神的内容，它根本成为和堕落到纯粹的诽谤。

离开了原则，便产生一切宗派主义，个人主义的混乱情形，这是很显然的。

从上述各实际例子中，我们可以看到马恩在文艺批评上所取的具体态度，这种态度是有原则的。马恩的这种批评态度，也同样表现在后来列宁，高尔基的一切文艺批评中。毛泽东关于批评态度的意见，如“与人为善”“治病救人”以及对于敌友我的区别，关于宗派主义之解决等等这些都是继承着马恩的基本精神。

八　结　语

我的讨论，到这里为止了。我不想重复来综合上述的各节的要点。从这些讨论中间，使我们可以认识，马克斯主义的文艺批评，是有原则性，有说服性的批评。“无产阶级的布尔札维克……为着自己阶级的利益，也就是为着全人类社会主义改造的利益，而去从事于艺术和文学评论，他们要坚定的站在真正为着这种社会主义改造而斗争的党派方面。他们不但要研究艺术是什么，而且要研究艺术应当怎样”[1]，所以它必须是从原则出发。这是马克斯主义的文艺批评与自由主义的文艺批评一个基本区别。所谓原则性，就是说，它是从无产阶级的立场上，和对于革命与广大群众的利益观点上，用辩证唯物论的方法，去分析一篇作品的具体内容，和从社会学与无产阶级美学的一致观点上，去评定作品的艺术价值，而把这种批评看作是揭露现实和指导现实的一种阶级斗争的武器。但是，所谓原则和方法，正如恩格斯在给恩斯德的信中所说的，是应该“当作研究历史的指导的线索”，而不能是“把它当作现成的公式，将历史的事实牵割和剪裁来适合于它，那么唯物论的方法就变成它的反面了”。马列主义的批评者，应该是把他正确

[1] 瞿秋白:《海上述林》页七三。

的原则，结合于对作品的具体分析与研究的实践中间，从实际的分析与研究中间去得出他公正无私的结论。批评者不仅要实事求是地去研究别人的作品，而且应该熟悉历史与社会的实在动态和把握它的真实关系。这样才能根据原则有所肯定，有所否定，才能正确地去评定一件作品对于反映现实所达到的某种程度的正确性。无产阶级并不排斥它自己阶级以外一切同盟阶级的作品，而是有责任去争取他们共同前进和帮助他们克服其缺点。因为他们知道，在为人民的共同方向之下，各同盟阶层的作品，是包含着某种程度的人民性的内容，构成这种人民性的内容的，乃是从劳动人民，从人民大众而来的巨大的创造影响，马列主义者应该公正地给予他们以正确的评价而且帮助他前进，而要这样做，首先就要从阶级观点上出发，才能正确地“确定出他们的人民性的尺度、界限，色调，以及一定的具体历史内容”。[1]

批评的说服性，即是建立于正确的原则与科学的分析底具体结合上。我们不是而且不能以原则去说服别人，也不能以原则去代替批评。原则是通过具体事实来表现，

[1] 顾尔希坦:《论文学中的人民性》。

批评家的任务则是通过对作品内容的科学分析而达到原则性的说明。我们不是强迫别人来接受一个正确的原则，而是要别人从具体问题上来心悦诚服地认识这原则的正确。批评是为了扩大原则性的教育而进行的，因此说服乃是批评工作一个必要条件。只有通过批评的说服性，才能扩大这种原则的教育，才能使批评在统一战线中发挥积极的团结作用。高尔基曾经责备一些批评家反复使用马克斯，恩格斯，列宁的同一词句，“没有根据那由直接观察澎湃生活过程而得到的事实去评价主题，性格和人物的相互关系”。这即是指摘那种以原则去代替批评的倾向，但这并不是轻视原则，反之，批评的说服性必须从正确原则出发才能获得，因为离开了正确原则，批评者自身首先不能把握现实的实质，因此说服性也就不存在了。

毛泽东在《论文艺问题》中提出了“为群众与如何为群众”的问题作为文艺上一个基本问题，这完全是从马克斯主义的观点出发的。毛泽东说，“这个问题解决得不适当，就会使我们的文艺工作者与自己的环境任务不协调，就使得我们的文艺工作者从外部从内部碰到一联串的问题”。“这个根本问题不解决，其他许多问题都不能解决”，我们的团结是为了群众的利益，我们的批评也是为此目的，创作也是为此目的，在为群众这个前提下，说服才成为可能和必要，对于服务于敌对阶级的文艺，这种说服是没有意义而且无必要的。文艺并不如有人所说的“是死无对证的东西”（方然），现实主义的文艺是有对证的，这对证就是群众，就是现实。说“死无对证”，这正是轻视群众的观点。在群众的革命利益之前，在社会关系的客观存在之前，批评者才能以科学的方法从社会关系的具体分析中得到原则性的说明。只要是一个诚心为群众的作家，不是固执成见，不是被宗派的利益所掩蔽，这种说服是完全可能的。例如恩格斯对哈克纳斯《城市姑娘》的批评，就是以一八八七年时代英国劳动运动的一般状况，和哈克纳斯作品所描写的消极状态的工人生活，作一个显明的对照，恩格斯是在这种对照之下，来得到对哈克奈斯的说服。

批评的对象不仅是对于一个作家，更主要的是对于群众的教育，群众的意见常常是对于一个作家反省的最好帮助。所以列宁和高尔基总是反复地告诉我们重视批评的群众教育意义，日丹诺夫在前年报告中也特别强调作家与批评家对群众的责任感。这一切都是从文艺为群众的观点而提出的。教育群众，是马克斯主义赋予文艺创作与批评的首先任务。

回顾今天中国的文艺批评，我们不能不感到马恩的这种批评精神与方法，对我们是如何的迫切需要。这要求我们细心去学习，并且在实践上去灵活运用和发展它。今天中国的文艺批评上所应该担任的，打击敌人的反动文艺，肃除封建和殖民地意识，团结一切为人民的进步作家，教育广大群众使其更积极走向革命的任务，一般说是做得非常不够。不是为着群众，而是为着个人和小集团的利益而发出的暴怒和叱骂，无原则的争辩，以至于人身的攻击，成为一种流行的风气，而另一方面，则又是无原则地保住一团和气的状态，这两种情形互相因果，互相起伏，使团结与批评永远在实践上成为两个对立的概念。这种非原则性批评必然发展为一种宗派主义的倾向。宗派主义的特征便是排外性，所以宗派主义的批评，常常是作为排外的抨击手段。宗派主义是以宗派的利益去代替革命的群众的利益，因此，他们的批评不需要说服和教育的作用，在统一战线中，他们批评的目的，不是为了“治病救人”，而往往是把不同意于自己者看作“无可救药”，他们把统一战线的共同方向，不仅从新民主主义缩小到抗谬主义（共产主义），而且还从“抗谬（共产）主义的信仰”缩小到对“抗谬主义的‘吸收’”。他们说，“在今天，社会生活的最高水平，已经不在于对抗谬主义的‘信仰’，而在于对它的‘吸收’，而所谓‘吸收’，就是‘要在信仰之中，用主观精神之火来燃烧生活，用生活之火来燃烧主观精神’。要说‘大的方向’，这才是‘大的方向’。在今天，只有以这为‘大的方向’的人，才有真实的运动，才是真实的战友”，除此以外，他们以为一切人那是市侩主义与中庸主义，“极客气的说，也是‘非友人’”。[1]在这样一种政治理论之下，马列主义的原则，被一种自成一套的主观抽象概念，或是一种伦理观念所代替了。批评者不是根据原则从现实与作品的科学分析上去客观地估量一篇作品，而是以一套既成概念和对异己者的排斥态度去进行批评；甚至不必看他们的批评就可以猜中他

[1] 舒芜:《更向前》,《呼吸》一期。

们所下的结论，或者对于某一些作家的一切作品，他们的结论往往都是同样的。这是主观主义发展的极致。在宗派观点之上，他们把鲁迅先生的“爱憎分明”的说法，从阶级的立场上，敌我的立场上移到个人和宗派的立场上来，于是混乱了敌友我的关系，造成了所谓“爱则加诸膝，恶则投诸渊”的绝对倾向。甚至把辱骂当作战斗，把吉诃德式的战斗当作最积极的批评。因此，这类批评常常写得十分激烈，其实这种激烈，正是高尔基所说“当批评家私人同情于某作家或与某一有市侩的传染病‘领袖主义’的毛病的宗派利益相联系的时候，他们就会写得过于激烈”[1]，然而反过来，由于他们把批评看作是一种排外性的手段，所以对于其宗派利益不相干的，或距离稍远的人，则又采取绝不批评的无原则的妥协态度。而尤其对于自己，是完全拒绝批评和自我批评，仿佛自己一被批评，就是遭受伤害，为什么呢？因为在他主观上，批评工作就等于一种“伤害”的工作。

这样的批评是与马克斯主义的文艺批评完全背道而驰的。这样的批评不仅是取消批评的教育与说服的作用，

[1] 高尔基：《苏联的文学》。

把思想斗争引向无原则纠纷中去，而且发展下去，就是脱离政治要求，成为扩大与巩固统一战线的一种障碍。

马列主义的文艺工作者，应该在文艺统一战线中提出他明确的原则与主张，学习和发扬马列主义的批评方法，首先从基本原则问题上，和一切似是而非的混淆观点区别开来，而以原则去对待非原则，并且把这些原则灵活而有机地结合于理论与作品的具体分析中间，从说服与教育的实践上来扩大原则的影响，从批评与团结的统一关系上，来巩固和扩大适应于当前政治要求的文艺统一战线。

敬悼朱自清先生

——并略论朱先生的为人与其文艺思想

全　人

八月十三日早晨，报上赫然刊出朱自清先生逝世的消息，这消息把许多朋友都震动了。就在几天以前，我们还在谈起朱先生最近的著作和言论，感到朱先生近年精神是愈来愈年青，思想也愈来愈精锐，自从闻一多先生逝世以后，在同样一条道路上，朱先生恐怕是最勇敢迈进的一位了。不久前我们还听到北国青年传来的消息，知道在那阴霾密布的北平城里，朱先生是怎样的关切和爱护那些受难的青年，而同学们又是怎样的热烈爱戴朱先生，谁料没有几天，这样一位可敬的教授和作家，竟在中国黑暗将逝，曙光已现的时候，就离开我们长逝了呢？

朱自清先生一生，正如鲁迅先生所说，“吃的是草，挤出的是乳，是血”。几十年来，他孜孜不倦的从事于教育与写作工作，从来不计较他个人的得失，个人的荣辱，拖着沉重的胃病，把自己全部的心血一点一滴，切切实实都贡献给社会，给下一代。他的为人也和他文章风格一样是那么的朴实无华，那样的恳切，清朗。这不能仅用“书生本色”，或“淡泊以明志”一类的话去概括他，在他那朴实与淡泊的生活与作风里面，是充满着一种强烈的社会责任感，一种为人民服务的精神，以及对于正义与真理底执着的追求，正如他在追悼闻一多先生的诗中所说的：“你是一团火，照彻了深渊。”朱自清先生自己也就如此。这是知识分子能否承受历史考验的一个基本条件。四十年来的中国，是处在最剧烈的变化过程中，“五四”以来，多少知识分子是被历史淘汰了，又有多少勇猛的战士是随着历史前进而愈战愈悍。决定没落和前进，就在他们对于人民大众的关系和态度这一点上。近几年来，在昆明的学潮中间，在李、闻惨案中间，在北平学生斗争中间，在一切民主运动和思想批判的斗争中间，朱先生无处不显出他从善如流，嫉恶如仇的精神，无处不表现他为人民，为民主的积极战斗，疾风劲草，岁寒松柏，环境愈是险恶，朱先生的人格也愈显得辉煌。支持着他这种精神的，就是他对于现实对于人民那种是非分明，绝不含糊的立场与态度。因此随着人民革命愈加前进，朱先生的思想也愈加进步了。

今天展读了叶圣陶先生追悼朱先生一文，我们十分感动。叶先生是朱先生的挚友，相知愈深，理解愈切。从叶先生所提出的几点中，可以说是最中肯的说明了朱先生的一生为人：

> 佩弦是个好人，凡是认识他跟他有交谊的人都承认。他可不是“烂好人”，不是无可无不可随俗依违的那一流。只要看他对于几年来一些看不顺眼的大事，都站出来说话，就可以知道。他这样做，我确切的知道，不是讨好什么人，不存什么企图，只是行其心之所安。目前由于多少顾虑，有所见到而不愿宣露出来的人很多，这就不能行其心之所安，结果弄到经常不安。经常不安才有所谓“烦闷彷徨”，随

时行其心之所安，又有什么“烦闷彷徨”呢？

“好人”和“烂好人”，看来像是差不多，实际上是有泾渭之别。“无可无不可”的“烂好人”，实质乃是利己主义者，因之才是患得患失。只有接近于人民，正视现实的人才能有爱憎分明，敢说敢为的态度。朱先生固然也接受了儒家的那种“有所不为”的精神，但是我们也可以看出这是他的一种平民性格的表现，他把这种传统美德结合于为人民大众服务的事业中，因此形成他耻于为己，勇于为人的正直精神。我们再看叶圣陶先生对于他为大众服务的精神的叙述吧：

> 离开了人的观点，或从天文学的观点，或从生物学的观点，人生只是宇宙大化中的一个波澜而已。但是取了人的观点，就有了个范围，定了个趋向。既讲人，不能不求其进步，不能不求其好，物质方面跟精神方面都好，而且必须大家好，不能单让一部分人好，其他人不好。这就产生了服务大众，努力将自己成绩贡

献于大众的想头，个人名利有什么可以追求的呢？惟有实实在在的成绩足以贡献给大众，在大众的海洋里加增一点一滴的，才是生命的真意义，才算没有虚度了短短几十年的寿命。我虽没有跟佩弦谈过这一套近乎玄虚的话，可是我确知他带着病辛辛苦苦的工作着，是含有这一点意思的。

叶先生这里似乎是从人文主义的观点去分析朱先生，事实上，朱先生思想中间，也多少含有人文主义的因素。但无论叶先生和朱先生，都不是曾经一度流行的那种个人主义的，唯心的人文主义思想者，他们是从客观实践出发，把“实实在在的服务大众”，作为自己的责任。因此把个人利益看得很小，而把对大众的责任感提得极高。这正是我们所应该肯定，应该追求的一种积极的人生观，朱先生对事物有那种爱憎分明的态度，可以说是由此而来。

因为不是把自己看得过重，这才能有虚怀若谷，向群众学习的精神，才能有自我批评的风度。叶先生接着又说：

> 说起生活，他也是经常在学习的。本月五日出版的《中建》北平版《知识分子今天的任务》的座谈记录，他老老实实的说，“现在我们过群众生活还过不来。这也不是理性上不愿接受，理性上是知道该接受的，是习惯上变不过来。所以我对学生说，要教育我们得慢慢地来”。这其间绝无虚矫之气，却表出他愿意受学生的“教育”，将习惯慢慢地变过来。向学生受教育，在权威主义的先生们看起来是岂有此理的事。可是我确切的相信，在生活实践方面，现代的青年实在比中年人老年人进步了不少（糊里糊涂的青年人当然不在此例）。中年人老年人要自己好，就得从青年人学习。

这些话看来是那样平凡，然而做起来却是谈何容易。知识分子最易犯的毛病，就是唯我独尊，自高自大，往往愈是浅薄，这种自尊病也就愈深。在这方面，我们可以看到朱先生修养之深，胸襟之宽。一个能向群众去学习的人，也就必然为群众所爱戴。北平千万学生对于朱先生的衷心拥护与尊敬，岂是偶然的事情?

有社会责任感，为大众服务，向群众学习，这就是从叶先生文章中所看出来朱先生一生为人的三大特点。确实的，就是这三大特点，构成了朱先生一生灿烂辉煌的人格。叶先生在真情洋溢的短文中，清楚而扼要的写一个优秀的中国知识分子的典型性格，不仅使我们感到他们两位交谊之深，也着实是为今天中国知识分子指出一条应走的道路。

从朱先生这样的性格理解中，也帮助我们理解他对于文艺思想的见解。朱先生是个诗人，散文家，几十年来，他的作品如《踪迹》，《背影集》，《欧游杂记》，《伦敦杂志》，以及近年来的《新诗杂话》、《文学的标准与尺度》等书，颇为人们所熟悉。我们不及在这里详述朱先生一生的著作和其文艺思想的发展，只想就近年来朱先生对于文艺的见解略述一二。朱先生本来是个自由主义作家，他和闻一多先生文艺思想发展的过程颇有相似之处。当他在写《背影集》时代，对文学尚采着这样的见解：

> 我们莫妙于学行云流水，莫妙于学春鸟秋虫，固不是有所为，却也未必就是无所为。我们与一切外物相遇，不可著意，著意则滞，不可绝缘，绝缘则离，这种况味正在不离不著之间。

这种见解，颇和朱光潜的距离美学有相似之处，自然不能为我们所赞同，当时朱先生这种思想，猜想是颇受了中国旧文学的影响，与朱光潜搬弄克罗齐美学，并非相同。但是近几年来，他的文艺思想的发展，在朱先生自身可以说是等于一种革命的飞跃。他不仅超越了自由主义的范围，而且在某些问题的见解，也超过了一些自命为革命现实主义的作家。我们读了他近年著作，可以看出在他的文艺思想中间，有两个重要的特点：第一，即是他抛弃了原来的那种“不离不著”的见解，断然的肯定了文艺革命的功利性；第二，即是他断然的肯定了文艺的大众化。

在他的《文学的严肃性》一文里（这是他一九四七年在清华文艺晚会上的演讲，后来写成文章，刊在《中国作家》第一期上）指出：

> 新文学开始时反对载道，但反对的是载封建的道，现在快三十年了，看看大部分作品其实还是在载道，只是载的是新的道罢了。三十年间虽有许多变迁，文学大部分时间是工具，努力达成他的使命和责任，和社会的别的方面是联系的。

这显然已经是离开唯心论的观点，从唯物论的观点来看文艺了。文艺不仅是种“工具”，不仅“和社会别的方面有联系”，而且“要努力达成他的使命和责任”。新文艺所载新的道，也即是“人民之道”，从这样一种观点出发，必然是肯定了文艺的革命功利性。因此他在“文学的标准与尺度”一文又说：

> 五卅运动接着国民革命，发展了反帝国主

义运动；于是“反帝国主义”也成了文学家的一种尺度。抗战起来了，“抗战”立即成了一切的标准，文学自然也在其中。这时候知识阶级渐渐走近了民众，“人道主义”那个尺度变成为“社会主义”的尺度,“自然”又调剂着“欧化”，这样与“民主”联合起来。但是实际上做到的还只是暴露丑恶和斗争丑恶。这是向着新社会发展的路。受教育越来越多，这条路上的人也将越来越多，文字的尺度终要配合那新的“民主”尺度向前迈进的。大概文学的标准和尺度的变换，都与生活配合着的，采用外国的标准也如此。表面好像只是求新，其实求新是为了生活的高度深度或广度。社会上存着特权阶级的时候，他们只见到高度和深度，特权阶级垮台以后，才能见到广度。从前有所谓雅俗之分，现在也还有低级趣味（按：此一用语恐与一般所谓“低级趣味”有所不同，大概是指民间俗文学而言）就是从高度深度来比较的。可是现在渐渐强调广度，去配合深度高度，普及同时也提高，这才是新的“民主”尺度，要使这新尺度成为文学的标准，还有待于我们自觉的努力。

因为肯定了文艺革命的功利性，自然也就肯定了文艺的大众化，文学既然要作为一种载道的工具，载的道既是人民的，这工具的对象自然也就首先是人民大众，所以普及工作的重要性便不能不提高了。这种见解，朱先生融解在他的诗论中间，他主张诗必须口语化，诗应该能鼓舞群众，诗应该能朗诵，他推荐田间，何达的诗，在课堂上教授《李有才板话》，这些地方，都看出朱先生理论与实践的一致，他在论闻一多先生对新诗的写法时说：

对诗的批评方面，他说是新诗愈写愈纤细，使人都不易懂，所以他以为应该作粗线条的诗，不管是诗也好，诉之于大众的也好，不叫诗也好，总之要以新的尺度去创造新诗，从理论上来……他的态度一贯是诉说大众，帮助大众进步的。他曾说，他不能受幸福的贿赂，而忘记了苦难的一群，可见他始终愿做一个人民的诗人。

他对闻一多先生的新诗的写法分析，其实也就是他自己的新诗观。朱先生受闻一多先生的影响颇多，自己也是愿意来做一个人民的诗人的。假如再有五年十年的功夫，我们可以相信朱先生在新诗的理论或实践将有很大的发展。可惜，他竟在五十一岁的年龄上，就离开我们而去了！

朱先生这种急遽的进步，是反映了近十年来中国社会斗争的剧烈，知识分子在人民觉醒普遍提高中急遽的进步。

他在《〈语文影及其他〉自序》中说，“三十年代渐渐的变了，四十年代更大变了，时代越来越沉重，简直压得人喘不过气，那里还会再有什么闲情逸致呢”。这是说明了客观对于一个人的主观所起的作用，而另一方面，朱先生那种为大众服务的人生观，自然也是使他进步的一个主观因素。

朱先生实在是死得太早了。五十一岁，这在一个人的工作和事业上，正在如日方中的时候，朱先生却因为胃病的拖累而竟致弃世。这在朱先生说，可以说是他做到了鞠躬尽瘁的地步；而在另一方面，我们要指出，朱先生的早死，实在是受了国民党残酷的迫害。今天一个大学教授，物质待遇，是低得无可再低，听说北平的教授都是借窝窝头度日，试问像朱先生这样孱弱的身体，又何能支持，更何能谈到营养与疗治？大学教授负着作育人才的重任，而反动政府给予他们的是使他们陷于饔飧不继的生活，然而还不止此，除了物质生活的迫害以外，更加以残酷的精神迫害，言论著作讲学的自由之类姑无从说起，而那接连不断屠杀与摧残学生，给予他的刺激又是如何之深！如昆明的血案，李、闻的被惨杀，北平学生的被枪杀与最近“特种刑庭”的乱捕学生，这些白色恐怖愈来愈烈，高等学府宛如囚城，试问在这种情形之下，一个有正义感的教授，又安能专心教书？又安能静心养病？朱先生的死，直白地说，就是国民党这种惨无人道的法西斯政策迫害死的！朱先生的死，是反动法西斯对于文化与智慧的摧残底又一血证！

因此，对于朱先生的死，不仅使我们感到深深的哀悼，而且感到无限的愤怒！

然而朱先生的人格，却是辉煌地照耀着一切中国知识分子，他坚贞不屈的战斗是答复了美帝与国民党反动派的迫害：他临终前一天，对他的夫人说：

“一件事得记住，我曾经签字在拒绝美援的文件上！”

这一句何等响亮，何等坚决的遗言，将像炸弹一样震栗着马歇尔，司徒雷登和一切美帝国主义的反动头子，震栗着乞怜于美帝的 ××× 和朱家骅以至胡适、晏阳初之流！

当笔者撰述此文的时候，窗外正是满天风雨，愁云重重，遥想那血腥的北平城中，多少青年学生正在那缉捕革命学生的恐怖命令之下，在那些出卖青年的文化奴才的狞笑之下，度着如何紧张而危险的生活，而朱先生竟在此时离开这些青年而去，他们将怎样感到如丧慈母的痛苦与哀伤，转念及此，实在难以抑制满腔悲愤。朱先生真是死得太早了，朱先生的死，对于我们的文化，教育，青年，以及对广大人民，真是损失太大，而这种损失却又在人民解放革命最迫切需要他的时候！

“斯大林同志告诉我们，假如我们想保存干部，教育和培养这些干部，我们就不应该害怕得罪任何人，就不应该害怕原则性的、大胆的、坦白而客观的批评。要是没有批评的话，任何组织，其中也包括文学的组织，那就会腐朽下去的。没有批评的话，任何疾病都会深入膏肓以致无法医治。只有大胆和坦白的批评，才能帮助我们的人更加臻于完善之境，唤起他们前进，克服他们工作中的一切缺点。什么地方没有批评，什么地方腐朽和停滞的现象就会生出根来，那儿就不可能向前进步。

“斯大林曾经屡次地指出，我们发展的最重要的条件，就必须使得我们每一个苏联人民，每天将自己的工作做一个总结，毫不害怕地检查自己，分析自己的工作，勇敢地批评自己的缺点和错误，周密地考虑怎样可以使自己的工作得到更好的成绩，和不断地使自己更加臻于完善。对于文学家们，这一点正和对于其他任何工作者一样，都是相同的。谁害怕批评自己的工作，谁就是遭人鄙视的懦夫，谁就不配受到人民的尊敬。”

——摘录自《关于〈星〉与〈列宁格勒〉两杂志的报告》

以纪念最近逝世的安德烈·亚历山大耶维奇·日丹诺夫

评《虾球传》第一、二部

周钢鸣

黄谷柳著的《虾球传》是包括着好几部的一本长篇小说。第一部《春风秋雨》和第二部《白云珠海》都已经印成单行本了，第三部《山长水远》尚在报上连载，也许还有第四部，第五部。这是规模相当庞大的一个长篇。内容是写一个流浪儿童在香港和广东的黑社会生活中的曲折经历，以及他将如何从这种生活中挣扎出来走向光明。这种题材在新文艺上，可以说是很少或甚至没有被人描写过，由于作者对于这方面生活的熟悉，以及他社会知识的丰富，这个作品确实具有一种引人入胜的魔力，使读者跟着书中人物如亲历其境一般，看到这种社会生活中万花镜似的多彩多姿的面貌。这的确是开拓了新文艺的视野，暴露出殖民地和半殖民地社会最阴暗的角落里的生活状貌。作者这种努力，以及生活知识的丰盛，是值得赞美的，这两部小说赢得了极广大读者的欢迎，并不是没有理由的。

但是刚看完这两部连续的小说后，除了使我热烈地关心书中的主人公，那个流浪儿童虾球今后的命运遭遇及其出路之外，立刻要进一步去分析它所表现的内容的意义，人物和作者的思想时，颇感到困惑，原因是，从这样复杂曲折的情节和纵横交错的场面中，要去理出它的题旨，是颇不容易的事。现在我稍稍整理出来一些读后意见，就算是我对于作者前二部的批评吧。

作者在作品前二部所表现的中心思想是什么呢？

看了《春风秋雨》和《白云珠海》之后，觉得虾球所说的“我总不会饿死的”和六姑所说的“人是不容易饿死的”这两句话最突出，大概作者是以这两句话作为这作品的中心思想，来表现虾球的苦难经历和奋斗经历吧？冯乃超先生在评介《春风秋雨》时，也曾肯定地说虾球说出“我总不会饿死的”这话，“是一句庄严的反抗宣言”。并指出“虾球的这个思想，是有它积极的内容的”。这样说来，作者的企图，真和我们所分析的一般无二（可惜我赶写这文章前已来不及去找作者一谈）。那么我们可以看出，作者在前二部所表现的中心思想，就是这种“我总不会饿死的”的生存斗争的思想。而作者正是紧紧地抓着这一中心思想，渗透在虾球的生活实践里，使虾球经历了多少艰难危险，而锻炼出坚强的意志，“独立不羁的精神。”（乃超先生语），并且以这种生存斗争的意志来支持他从过去到将来。作者所赋予这个人物的性格特征，也就是贯通上二部小说的中心思想。

但是这种生存斗争的思想，是不是如乃超先生所说的，——也是作者现在所着重表现的，具有积极内容的意义呢？我想这应当从两方面来看，它是有积极的意义的一面，也有消极的意义的另一面。以“我总不会饿死的”和“人是不容易饿死的”这两句话，从它的积极意义来说，就是要活下去。的确，在今天的社会里，能活下去，就是在生存斗争的战线上的一个大胜利。但是相反的，“我总不会饿死的”和“人是不容易饿死的”实际上也带有消极的“天无绝人之路”的宿命论观点，这是和那种得过且过，随遇而安的生活态度一脉相通的思想。因此，我觉得单从这两句话的字面含义来讲，是不能得出它是富有积极的意义的。所以，要把这两句话作为小说所要表现的中心思想，或是从批评上来肯定它的积极意义，都必须是：要有原则地来表现；要有原则地来肯定；不然的话，在这浑浑噩噩的生活海洋里，我们就会迷失了明确的方向。这就是我首先对于这“我总不会饿死的”的生存斗争的思想，先提出这一点原则的意见。

其次，我想来分析一下这作品的前二部，作者是怎样来表现“我总不会饿死的”的生存斗争思想的呢？从第一部虾球做小生意竞争失败之后，他就投身到这黑暗的生活海洋里，随波逐浪，任其浮沉；虽然他冒过险，受过苦，干过偷窃盗窜，在黑暗生活中，也有挣扎，也有不满和怨恨，也有模糊的憧憬和追求，但这一切总还是为着这“我总不会饿死的”的生存愿望，而任生活摆布着。当然虾球这个人物，不是天生下来的现实反抗者，所以我们不能要求作者硬生生地把虾球写成一个一下就觉醒的流浪少年；事实上也正相反的，中国的流浪汉，一切江湖好汉，草莽英雄，马路流氓，都是在几千年来封建势力，和近百余年来帝国主义侵略下的半殖民地奴役生活的压迫下，而又受了这封建迷信思想和半殖民地的买办奴才思想麻醉很深的流氓无产阶级。他们表面上是旧社会的反抗者，实质上还是旧社会的保安队。可以落草为寇，招安为官；是非法的行为和“合法”的生存观念的矛盾混合体。因此他们似乎是强者，其实是弱者。所以虾球最初无法生存时可以当王狗子的马仔。后来蟹王七打他，他勇敢地反抗；但是到了他的靠山主子鳄鱼头打他几次耳光，他不但不反抗，反而屈服，却没有一点怨恨之心。所以这类人物的觉醒和发展，不是走直线的，而是走曲线的。因此作者表现出虾球这个人物软弱的一面，是并不奇怪。同时根据小说现在发展的情节趋向上来看，已透露出作者对这个人物的发展的安排，正是想写他从那无原则的不择手段目的的生存斗争思想，以逐步提高到反对这种无原则的生存斗争思想；（如在《春风秋雨》中，因偶然地偷窃了由美归来的老侨的钱正是自己老父的钱，而厌恶做扒手的偷窃行为，决心洗手不干。如在《白云珠海》中经历了种种遭遇之后，所透露出对鳄鱼头的不满与仇恨的思想情绪等等）以引导到进一步去作有原则有目的的生存斗争。——我相信作者的确是下了这样的苦心，来布置这小说的来龙去脉，而想在第三部第四部中来表现出这样的转变吧？

但是尽管作者的企图是如此，可是在作品的第一部第二部所表现出来的，——在作品里所描写的社会生活，所描写的这些狡黠而又爽朗的人物性格，和他们大胆冒险的行径，自我中心的尽情纵欲享受，……这一切的新奇的情节和传奇式的描写和渲染却缺少了通过主观的分析批判来暴露，所以就加重了这无原则的不择手段的生存斗争思想的影响作用，减轻了对于这种思想的批判和否定的作用。一个青年读者曾对我说，这作品上二部可能给人一个相反的影响，尤其是许多思想模糊批判力薄弱，而又在现实生活重压下喘不过气来的小市民，看到鳄鱼头等所干的行径，就会发生这样的思想，以为人要活下去，就得要干坏事；与其萎缩可怜的向人乞讨而不能活下去，反不如像鳄鱼头他们一样的痛痛快快地干，痛痛快快地吃、喝、玩乐和痛痛快快地死。这个年青读者甚至说，在运输船沉没后的怒海孤舟中，鳄鱼头为了要求得自己生存，而打死牛仔等，都是对的，情有可原的，因为这就是生存斗争呀！这个青年读者的意见，未免是过虑过偏之见，但这个读者的意见，也就说明了作者处理鳄鱼头这些人物时，还有着许多弱点存在，就是描写他们时，没有把握明确的立场，通过主观的分析批判来暴露，而把他们写成新奇冒险的中心人物——小市民的冒险英雄了。所不同的是程度之差，如靠山大手面大的就是“捞世界”，而靠山小气派小就是“揾饭食”。所不同的是鳄鱼头做主子做大哥（他也还有主子），虾球做爪牙做马前卒，前者似乎“可以”独立自主，颐指气使，恩威并施，后者只是依人篱下，供人榨取，这也不过是大鱼吃小鱼，还看不出有什么本质上的差别。而有差异的地方，就是鳄鱼头等的甘心为恶，而虾球是善良者的附从为恶。但是虾球虽然是善良的，可是他仍是飘浮在现实人民生活之上的，因此他亲眼看见人民的苦难仇恨和斗争，却都没有发生有血有肉的共同感受。因此我觉得以虾球来贯串一切黑暗新奇的生活角落，虽然是可以牵涉附会，但要写他成为一个有血肉的生根在人民生活中的转变和改造的性格，以现在这样的处理方法，我就担心不容易写得踏实。

因此，我觉得作者在处理这些人物时，就还有一些弱点存在的地方。大概是作者对于“我总不会饿死的”和“人总是不容易饿死的”这种生存斗争的思想，是同情多，而批判少的缘故。所以一方面就为着要使虾球活下去上着眼做文章，另方面对那些在无原则的生存斗争中的人，也付与了过多的同情，而减轻了批判他们怎样活下去的意义了。甚至过分强调这句话，而减轻了对现实的人不能活下去的描写。如广州每日的路尸，就是许多人活不下去的现实。作者虽然提到了，但却缺少控诉黑暗的感情的流露。所以“我总不会饿死的”这句话，并不一定是一句“庄严的反抗宣言”。因为一切流氓都不会饿死的，他们就靠敲榨牺牲别人而活。所以要表现这种中心思想，就要批判地表现，看他们是怎样的活下来。写黑暗现实中的一切生活现象，就得要加重写它的内在矛盾，讽刺和暴露这矛盾中的没落一面的人物和生活，甚至对虾球在这种矛盾生活中的盲目性也应当是批判的。——事实上作者对他也是同情多而批判少。

其次作者在描写这些黑暗社会的新奇生活外，作者本身也被这些新鲜、粗犷、奇趣的生活所俘虏了。他一方面是为了适应报纸连载以吸引读者的缘故，把读者视野打开了，使他们看到一套一套新鲜的事物——各种社会的生活角落，因而读者也无形地被这新奇的事物所俘虏了。所以作者在写这些黑暗社会的生活现象时，也无形地欣赏这些生活，如写洪少奶奶跟马专员勾勾搭搭的场面，写六姑的短到肚脐的浅红内衣，写阿娣的白肚皮，写年轻丫环踩在张果老那风湿痛的背脊上，写黑牡丹的风尘，甚至写鳄鱼头，王狗仔等的一切冒险的行径，作者都是以欣赏向往的态度来渲染他们。这原因是什么道理呢？这我想是生活的观照态度和小资产阶级的感情，障碍了作者对于这旧社会的批判和暴露的敏锐能力。甚至有些读者读了都引起飘飘然之感，也都是这种小市民意识的反映作怪。

我并不反对写男女爱情或是旧社会人物的荒淫无耻，但主要的是看你怎样地来写。高尔基也写流浪汉的爱情，如他所写的《秋夜》，他写出一双流浪男女在饿寒中热烈拥抱，互相用自己的体温来温暖对方的行为；也写妓女的卖淫，如《大灾星》中的母亲，靠卖淫来抚养残废的儿子，使我们看到她的卖淫，是令人厌恶的旧社会的罪恶伤害了她。如迭更斯所写的流浪儿童作品，把旧社会中的善和恶，表现得非常分明。都是站在非常强烈严肃的批判态度，对旧社会的罪恶予以讽刺，暴露，而绝不是以欣赏、渲染、传奇的态度来描写。当然在今天夺取黄色文艺的读者是重要的，但不能为了适合他们的口味，也在自己的作品中渗进这种忽视现实痛苦的趣味面。如作者写的踩在张果老背上的这些丫环，一个个都是痛苦的灵魂，若是作者紧紧跟她们站在一块，站在暴露旧社会的罪恶的态度来写的话，就不会把张果老写成一个有趣的老头子，把这些场面写成是一幅太有趣的场面了。写洪少奶这个人物，她固然是被人当玩物当作钓鱼的引饵，但却不应该把她写成是个没有灵魂没有一点内心矛盾的玩偶。就是写黑社会人物，也是这不合理的社会产物，不能把他们写成一种传奇式的英雄。这一切都是统治阶级的罪恶，我们应当深入内在，认清矛盾，从这一点上严肃的讽刺、批判、暴露，不应当走马看花，浮光掠影，寻奇猎艳，停留于表面现象和片面的知识。因此，我觉得，作者虽然熟悉了这些黑社会的生活状态，但是说到更深入去熟悉这些性格中所包含的本质关系，以及它的矛盾与根源，似乎还不够，所以要从这些性格的描写上，去表现它的社会意义，就感觉不够充分，批判力的所以感到薄弱，主要是由此而来。现实主义的创作，要求作者不仅从生活外部去熟悉社会现象，而且从内部去研究，把握，剖解它的本质关系（阶级关系）与社会意义。

作者如果能够对他所得这许多材料和看到的现象，作一番更深入的研究，我想他会获得更多的成就。而要这样做，作者的世界观和思想方法，是个重要的问题。这不是什么主观精神的问题，而仍然是对客观认识的深度的问题。我并不想来责备作者的描写是太客观了，倒无宁说是客观的认识深度还不够，虽然这样提出，对于作者近乎过于苛求，但是作为一个创作问题来说，说明这一点，我以为还是必要的。

以上我们就作者的创作态度，提出了些意见之外，我想对作者所写的人物，来分析一下。首先是写虾球这个人物，我认为《春风秋雨》中比《白云珠海》中要写得好。因为那个时期的虾球的性格特征，是混沌与倔强；作者紧紧地抓住了他的两个特征，来展开他在生活浪潮里的搏击姿态，这和作者所写的香港黑社会生活起着强烈的动人呼应。可是写到他因偶然偷窃的钱，正是自己父亲流浪海外含辛茹苦的积蓄，而明白过来之后，作者想从这个偶然的契机，来写虾球的黎明觉醒，就显得人物性格的把握，有些不牢实起来了。这一方面是在写第一部里的虾球，跟现实生活的血肉相联不够，——虽然他也是生活在下层生活中，但这是游离生产人民的流氓无产阶级的生活。虽然丁大哥给他传奇式的片面影响，作为促成他决心离开香港生活的一个契机之外，但是对他的性格的影响是很轻微的。所以在作者写第二部《白云珠海》的虾球时就非常性急地，用了些知识分子的感伤情绪，和软弱的良心主义来代替他的有血有肉的转变了。如牛仔叫他去偷母亲二十元来作路费，他踢牛仔屁股，骂着“我不要你这个小流氓跟我回中国去！”如把牛仔扒来的钱包退回那个绅士；在教堂里会感到“圣洁的空气”的洗礼，而在“心中正充溢着一种难说的感激之情”。如他忽然有了责任感，要送牛仔进监牢一样的孤儿院；及以后跟蟹王七互让爱人的事等等，把虾球写成一个理想主义的人物了。这一方面是作者这种以一个人来贯串一切黑暗社会生活的处理方法——也是想从广阔的角度来反映现实的创作方法限制了他，使得作者不能将自己的人物性格发展、植根在某一一定的现实环境的基础上，来写现实的发展与人物的发展有机地结合起来的缘故。所以在第二部中，虾球的性格就不如牛仔的性格突出而显得真实，——其实牛仔的性格就是以前虾球的性格的继续和移植。

本来在一定的空间时间内写一个人物性格是较容易把握的，而写在不同的空间和时间的推移发展过程中，来写人物性格的发展和转变，就是一件最困难的工作。而要解决这问题，就只有使人物性格的发展与社会环境的发展紧紧地扣合起来，才能表现出他有血有肉的动的发展的过程，才不致使人物来个悬空式的转变。而现在在《白云珠海》里的虾球，就多少令人觉得有些悬空式的转变之感。所以我希望作者开始第三部第四部的写作时，能照顾到创造这个人物的过程，能紧紧地把握着与现实发展取得有机的结合转变的过程。这样才可能避免把人物写成个人英雄主义式的人物。

其次写蟹王七这个人物，开头写他与虾球第一次见面时，真是生猛强悍，可是写到后来，就越写越减少了他的生命粗犷活力了。这个人物，照作者写他与虾球的关系的密切，和他后来对于鳄鱼头那套把戏透切的冷嘲态度，我想他将在后二部起很大作用的吧？他将成为虾球的战友？作者应当给他多描写一些离心、分化的过程。至于作品前二部中，我认为写鳄鱼头是刻划得最深刻最生动突出的人物。不论正面描写侧面的绍介，都显出作者真真了解这种人物，但是作者在描写这个人物时的批判是不够的，甚至有些过细地体会描写，看出作者的同情。如在《白云珠海》中冤家对头楼上楼所写的那几段。

但在全书中，以后发展的情节中，更重要的人物将是丁大哥了，在《春风秋雨》中只简略的描写和介绍他的过去。在《白云珠海》中，写他对虾球的态度，曾受姓万的批评，他曾承认自己的错误。姓万的批评固然有道理，但在广州那种恐怖的的环境中，而虾球又是跟过鳄鱼头这类不可靠的黑社会人物混过来的人，那么，为着严密地保护革命的组织，丁大哥对虾球的那番审慎态度，在原则上是不会错误的。可是作者却把他写成个在知识分子面前谦虚到没有主见的人，这我认为是值得商量的。我想这或许是作者为了还要让虾球再到那些黑暗的各种各样的社会角落里去滚，以增强他多难的偶然性遭遇和传奇性的情节起见，所以才来设计虾球与丁大哥这次失之交臂的相遇。但无可否认的，因为太着重在安排虾球的个人遭遇上，是有损于丁大哥这个人物的明确描写了。

一切人物都还是在发展，整个故事还刚写到中途，当然不能对所有的人物的发展先下肯定的判断，这里只不过先表示我个人的了解和热望而已。

除了以上提出向作者所要讨论的意见外，我觉得作者的努力，是有了很大的成功。他写出了别人所未写过的现实生活的各方面，就广阔多面地反映了现实，暴露当前黑暗统治者对人民的摧残，以及统治者丧权辱国媚外出卖华南和黄埔的权益给美帝国主义。现在听了受过军校训练出身，而现在变成了流氓头的鳄鱼头来唱出黄埔军校初期反帝反封建的军歌，这却成了对统治者一个辛辣的鲜明讽刺。同样地作者也写出了在下层生活中的人民，他们都是善良而具有人类最高的同情心的人，如六姑、阿娣、阿喜等，显示作者的爱和恨。他的获得广大读者，——收到雅俗共赏的积极意义，都是作者敏感地反映现实，而又以最大的同情心想去和广大的人民打成一片而所得到的效果。不论在采用人民语言上，在故事情节的结构组织上，表现形式的创造上，都有了崭新的成就，我在这里不想再重复文艺界诸多批评已经说过的赞词。就让我在这里结束我的介绍和批评吧！

罗曼·罗兰的“搏斗”
——从个人主义到集体主义的道路

力　夫

近年来罗曼·罗兰的巨著《约翰·克立斯朵夫》在中国知识分子中间所产生的强烈影响，我想是超过任何其他西洋文学的。这情形是很自然的。在法西斯独裁统治之下，蒋管区人民失去了一切精神与物质自由；恐怖，屠杀，虚伪，欺诈，支配着一切。不甘堕落的知识分子，经验着难以忍耐的精神苦闷，与物质生活的压迫，他们要求有一种足以冲破这沉浊气氛的力量，一种强大的生命力，而《约翰·克立斯朵夫》恰恰是给予了这样一种鼓舞的力量，一种大勇者的战斗精神，自然他立刻为精神饥渴的知识分子所热烈欢迎。《约翰·克立斯朵夫》的中心思想，是在于指出生命的意义即是不歇止的战斗；生命的力量是从这样的战斗中强大，真理也是通过这样战斗而取得，对于知识分子，这不见得是无益的，因为离开斗争，我们将是一无所得。然而，这里却不能不有一个更重要的条件，即是这样的战斗，如果不是和广大人民的力量相结合，不是和社会实际斗争相结合，不是从个人主义中间挣脱开来而投身于集体主义的战斗，那么这战斗的胜利还是无望的。而约翰·克立斯朵夫则恰恰是个人主义的战斗者，并且是这样一个战斗的最高典型，他是初期和中期罗曼·罗兰的英雄主义和人道主义思想的化身。在十九世纪末，这种思想是有它灿烂的光芒的，但是它是无法战胜二十世纪这帝国主义和法西斯主义的巨大敌人，展开在这个世纪的，是一个具有世界范围的一切劳动阶级及帝国主义的殊死恶战；只有新兴阶级的力量能击败那腐烂阶级的力量。因此，约翰·克立斯朵夫是失败了，他死了，他是痛苦的。当他临死的时候说："我战斗了，苦恼了，流浪了，创造了，什么时候又要为战斗而复活罢！"是的，克立斯朵夫终于复活了，他是复活在集体主义的战斗中间。克立斯朵夫的战斗精神，在后来三十年的罗曼·罗兰身上继续发展着，在他参加社会实际斗争中间发展着；在反战反法西斯运动中，罗曼·罗兰终于和世界无产阶级结合起来了。他从一个唯心主义（者——编者加）成为一个社会主义者；从个人主义世界中挣扎出来，投向劳动大众的战斗阵营。“从巴黎到莫斯科，我走了七十年，这道路是多么悠长而艰辛呵！”是的，罗曼·罗兰一生战斗的道路是悠长而艰辛的。从个人主义而突向集体主义的世界，这在知识分子是个艰辛的过程。罗曼·罗兰在一九三一年撰文向高尔基致敬时，写着：“十五年之内，他们（指知识分子）中间的最优秀分子，终不能离开个人主义的盲巷。他们做到了‘与世隔绝’，只听从自己的良心，和这同一个良心说的话。而说‘事实上，我们的优点也是我们的弱点’。我们这些知识分子能够在一起，各闹独立性，大家都无能为力。而写这几行文字下来的人，自身即是最好的例子。一九一四年战争初起，我投出了‘超乎战争’的喊声。我在战败者的苦涩的傲慢中间写道：‘我并不是为了说服欧洲而写作，我是为了宽慰我的良心。’——我那时并没有一个可以让我们生根的坚固的土地。《精神独立宣言》，仅是一九一七年所理解，而用我的署名发出的一个呼吁。它是一枝绿色枝叶向着天空的树木，可是它的根却完全远离了土地，如果我们不能把它移植在全人类中间，在劳动人民的黑土壤中间，它必然会死亡。”

这是一个知识分子的痛苦而诚挚的自白，而且是一个伟大的真理。对于罗曼·罗兰，我们是应该去认识他这艰苦的思想发展历程——从旧的个人主义，英雄主义，人道主义而走向社会主义的历程。这对于我们是更为重要的。如果说《约翰·克立斯朵夫》曾经给予我们启示，那么罗曼·罗兰的后期思想将给予我们十倍更重要的；而且也只有认识他后期的思想，才能使我们对这伟大的思想家和战斗者，获得较为完整的理解。如果只是停顿在克立斯朵夫的思想阶段上而不前进，或是同样要在个人主义的盲巷中去作无谓摸索而自以为找到了唯一正确的道路，我以为这对于《约翰·克立斯朵夫》的作者，并不能算是一个最忠实的读者罢。

罗曼·罗兰后期的思想，在论文方面表现在他《战斗十五年》和《与过去告别》一些集子里，可惜我们今天还没有完整的译本。而在作品方面，主要就是继《约翰·克立斯朵夫》以后的五卷巨著《迷人的灵魂》(*The enchauted soul*)。这一卷小说，包括《安耐蒂与赛尔维》、《夏天》、《母与子》、《世界的死亡》和《搏斗》，规模之宏，可以说不亚于《约翰·克立斯朵夫》。但是它却是《约翰·克立斯朵夫》的一个发展。作者在这部作品中间清算了资产阶级自由主义与个人主义，书中的主人安耐蒂，一个女性的战斗者，可以说是克立斯朵夫在集体战斗中的复活。我相信从克立斯朵夫到安耐蒂，这里是反映了罗曼·罗兰七十年来思想的发展。和作者自己一样，安耐蒂是个经过了一生苦斗而最后投向集体主义的一个女性。这部作品大概是在三十年代到四十年代中间经过了一个相当时期写成的，这正是罗曼·罗兰思想矛盾最剧烈的时期。

我很久以前，从一本外国的刊物上，知道这部书的内容和梗概，我多方找寻这本书，甚至向法国大使馆去探问，但是没有一处能找到。以后，在沪港各书店里也同样找不到，连各外国出版公司的目录上也不见。为什么这巨著没有人翻印呢？我所能作的解释，只是在法国沦陷时期，这样的书是必然禁止的，而英美一般书商大概也不愿意印这种批判自由主义与宣传共产主义的作品吧？但是最近忽然一个朋友从旧书摊上买到它的第五卷《搏斗》上下册的英译本。这消息使我兴奋。我借来读了。这书是伦敦出版的，翻译者是法国人 Amalia de Alberti，是在一九三五年印的，那么战前香港该已经有这书了。

我既然没有读过全书，只有这第五卷，照理说是没有资格来介绍的。但我因为曾经知道它的一些梗概，所以，读起来还能摸到前后的一些线索，而且它各卷有一独立书名，多少还是可以独立起来读的。但是更重要的，我以为这卷《搏斗》恐怕是五卷中最重要的一卷。因为关于个人主义与自由主义的清算是从这一卷开始，而矛盾的顶点和结局也都在这一卷。作者在这卷里替我们指出了知识分子与劳动大众结合的道路。这对我们是有重大意义的。我应该承认，我是被这书所感动了。我近于性急地来介绍它，也许是受了这激动情绪所催迫，但是无论如何，我想即使这样粗略而不完整的介绍，也不是没有意义吧。

关于以前各卷的梗概，我只能依据过去从杂志上看到过的叙述，极其简单地来介绍几句：主人翁安耐蒂

（Annette）是个非常善良而坚强的资产阶级女性，她渴求独立的人格和精神上的自由。她是一个最完整的自由主义者的典型。她首先企图在她的恋爱与婚姻生活上来实现她所追求的理想，她和一个叫勃立梭脱的男子结婚了，但结婚以后，证明她是完全失败了。真正的精神独立，在他们这个社会中大概是不会有的。她变得非常痛苦，矛盾愈来愈烈，最后终于离婚。但是她已经有了一个孩子，叫做马克，即是第五卷《搏斗》中的主人公。她全心全力来抚养这个孩子，她企图以她的理想来镕铸自己的儿子，从将来儿子身上来获得她的胜利。这中间，她又经过一些恋爱，但同样是失败了。于是她把全部的爱，都寄托在儿子身上。儿子马克长大了，是和她一样的善良和坚强，赋有她同样的理想和精神。他们极端憎恶这虚伪而残酷的资本主义社会，但是他们都是自由主义与人道主义思想的最忠诚的支持者，他们憎恶暴力，憎恶对自由的干涉。第一次帝国主义战争起来了，这家庭自然要受到战争的迫害。安耐蒂和她儿子马克成为激烈的反战者，战争使他们更加对于资产阶级社会秩序的憎恶，但是他们也不赞成苏联的革命，因为它是暴力的，是无产阶级的专政。因此他们在一种矛盾中间感到痛苦与无力。后来马克和一个斯拉夫女子亚茜雅由恋爱而结婚了。亚茜雅也是一个强烈的个人自由主义者。但是她热情而勇敢，比较马克更勇于去正视现实。第五卷的开始，他俩正是在狂热的蜜月之中。

青年夫妇沉溺在爱情的狂醉之中。“蜜月像太阳似的发光”，他们不仅吮吸了春天的花蜜，而且过早地吮吸了夏天的花汁。成日成夜他们像疯狂的小鸟似的拥抱在一起。母亲安耐蒂却为他们担忧了。她是经验过来的人，她警告他们不要把火焰一下就燃完了：“节省一点你们的火焰吧。”青年夫妇是不会理会的，但是安耐蒂的担忧是对的。不久以后，“一天天过去，火焰熄灭了，天空变得阴暗了”。他们中间渐渐彼此感到一种逐渐扩大的空虚，一种精神上的矛盾。自然他们仍是相爱的，但是当情欲的火焰燃完，思想上实质的矛盾逐渐的显露出来了。他们两个都是强烈的个人主义者，灵魂里都有自己坚硬的核心，正如亚茜雅说：“我的肉体，我的心都是你的；……但是灵魂呢，不！灵魂是我自己的！”根本上，这种矛盾是从个人主义来的。安耐蒂是预知这思想的危机——正因为他们的天性是相似的，每个人都沿着同一道路底不同行迹，走着自己的路，他们都来到同样的难关。安耐蒂一生中无形的宗教就是她崇高的个人主义，但是在现实中间，她不能不感到矛盾。她曾经把这个个人主义注入于马克的血液之中，同样的这不能使他生活得到安慰。马克拒绝把他自己的思想囚禁在任何文件中间，他觉得那些什么主义——唯物主义，社会主义，唯心主义，共产主义之间的争论，与他有什么相干呢？那些都是“锁着链子的狗项圈”罢了。

亚茜雅同样是要逃开一切锁链，一切囚墙，一切足以束缚她的东西，过分要保护她的自我，而结果却是丧失了自我，宛如溢出的狂流，泛滥于田野之中，反而失去它的流势了。而马克又怎样能作为这泛滥狂流的河床呢？

“她和他都想来认识出他们之间是存在着好像罗马神话中间的两面神似的一个两头的个人主义，把他们隔离着。自我，自我！这是生命的本能。它永远是饥渴的。它必须被喂饲……‘以你来喂饲我，我要成为你。成为你呢？还是占有你呢？……这两面神不是背对背，而是口对口的，两个都是吮吸者，谁将吞食谁呢？橙子是既硬而且苦，它不是抵抗，便是柔化，于是被吮吸干了，而还有什么剩留下来足以疗我饥渴呢？那橙皮吗？我扔掉它，而不久我又感到孤寂和饥渴了。'"

这就是两个人中间矛盾的精神状态。亚茜雅是比马克更坚强而且敏感的，她不能为了马克牺牲自我。但是这时她有了孩子，这孩子出世等于把一条锁链钉在他和她的身上了。这对于亚茜雅是个很大苦恼。"我将为他而牺牲我的自由吗？不！这是太苛的要求了！"

但是自由又是什么呢？她有了自由又怎样呢？她怎样去占有自由呢？这对她仍是一个苦闷，这不仅是发生在她和他之间的矛盾，而更主要的是社会和生活的矛盾。亚茜雅是在一家出版社里当过俄文翻译，还为一家出口公司任商业文件的翻译和打字。马克则在一家无线电公司工作。他们都是所谓自由主义者，但是自由主义在大战以后，早已破碎无遗了。所谓自由，只有在资本家饲养下才有你的自由。"在那些骄傲的知识分子与老板（老板是变换的，但奴仆是不变的）之间，订下了一个严格的契约，有如那些管理家畜的契约。一切自由只有在你的受雇和我们的畜场的范围以内，不许超越到这以外去！遵守这件条款，我们使你胖。……而他们就这样养成了习惯，甚至不再想到外面去了。”

作者在这里猛烈地抨击了那些投降的，堕落的知识分子和那些虚伪的民主。“我们在这个时代，我们这些人，我们这些君子们，知识分子同着他们高贵的德谟克拉西意识形态底圣餐，已经在扮演卖淫妇的脚色了。在没落的专制主义时代，专制主义使它自己卖淫，我们不管，我们说：掘你自己的坟墓吧！而现在，在我们的田野上，也在腐烂，也在出卖自己了。精神独立——那是我们发光的言语，作为泉源的言语，伟大的个人主义是从它取得本质，……而现在这个精神独立，它到哪儿去了呢？最了不起的也不过是玩弄一些对政府作宪法上的反对把戏而已，而还能保留这个，也无非是为了在丧失它以前表示继续和认可来承担这份遗产罢了。他们成为那样善于在思想的妥协中间游泳，有时是红黑不分，左右莫辨，一切都混杂着，议会中间和议会以外的党派，多少都是暧昧不清的。”

而通过马克，更指出资本主义制度下所谓民主与文化的特质：

这些年轻知识分子和骗子们把意识形态和商业来合伙开店。昨天在战争中间，是民族，拉丁文化；今天又是欧洲的和平，自然也还有自由。这是商品的交换啊！谁要自由，就必须要有钱。而谁需要钱，就必须卖掉他的自由……马克是抗议着这种堕落。他决心维护他精神的自由。安耐蒂鼓励他，可是亚茜雅却讽笑他：

“你的精神自由对你有什么用处呢？”

亚茜雅是比他看得更清楚的，她是更坦白而勇敢的，她看出这样个人主义的自由是不可能了。她知道必须从实际行动中去斗争。一段对话中间，显出了两个人的性格。亚茜雅说：“我要把我的脚踏到地上去运动。热也罢，冷也罢，这有什么相干？我要使我的脚温暖——走路，奔跑和行动。”

“好呀，我们不能一起行动吗？”

“是的，但是怎样行动呢？你能干什么呢？”

他太清楚知道自己的无力，但是他企图辩释：

“我们什么都可以干呀，我们是自由的。”

“只有在牢墙里散步的自由吧。别胡说了！你是很明白知道自由是囚禁在集中营里，没有出口的！”

“那么你呢，亚茜雅？”

“不是我。我也不知道怎样？但自由或不自由，我要冲出去。”

“自由是在外面，任你喜欢叫它什么名字都可以！我告诉你一句话，我要这东西。”她又说。

“要冲出去！”要行动，这是亚茜雅所企求的。她实际上已经在内心中间，否定了他个人主义的自由。罗曼·罗兰在这里辛辣地讽刺了那些“知识的凤凰”，这些英雄们唯一的精神自由就是不结果实：“信仰而无行动。”自然，马克并不是满足于这种葬仪式的自由的。“他唾弃它。除了那些行动的人，是没有精神，也没有生命可言的！但是那样的人在哪里呢？他们怎么能够在众人俯首屈身的准绳之下昂然直立呢？破坏那准绳，在屋顶上打破一个洞罢！你一个人单独是不能干的！你的脑壳会碰得稀烂。你必须和其他反叛者联合起来，但是要联合就要受约束，就得接受那些参加的党派底纪律与主义。马克拒绝这个。”

这就是他思想矛盾的焦点。个人主义的思想阻碍了他去实践。而亚茜雅的态度却不同。她要求“行动第一”。这也就是构成他们两个人的矛盾内在因素。亚茜雅分明是感到了时代气氛，暴力行动的气氛，这气氛是从旧世界各部分在起来了。由于她平民社会出身的本性，她的斯拉夫血族的关系，使她倾向于苏联的革命。马克看出她向着这斜坡在滚下去，他想拉住她。他自己是不敢向这斜坡望一眼的，苏联使他晕眩。他以为应采取其他的行动，例如说话或写文章。但是这是很有限的。他即使用来战斗，他也印不出什么来，只是一些没有什么反响的短文章而已。他被囚禁在个人主义的牢笼里。他唯一的光明只是从顶上的天空照下来的光亮。自然他需要一个能够看见生活世界的窗子，他要从这窗子跳出去，但是跳吧，假如他爬到窗沿上，她会立刻比他更先跳下去的。他知道她所要求于他的是什么，在等待着什么，然而他不能有决心。那窗子底下是他所厌弃的暴力。“现在的革命是军事化的，纪律伸展到每一个事物，行动，写作和思想，甚至哲学与科学都在受镰刀斧头的新式僧侣所统治。马克是反对偶像的。他不能明白精神领域内的感情。我的精神是我自己的，谁也不能去碰触它。”

这一对矛盾的夫妇就这样生活着，经历着矛盾的痛苦。自然另一方面亚茜雅是爱马克的，但思想问题横亘在他们中间。后来亚茜雅到苏联驻巴黎的商业代表团去工作了，在这里她更进一步认识了苏联的社会主义。她被它所感动和吸引了。“在东方一个新的上帝重新诞生了！这是无产阶级的马克斯主义者，唯物论与无神论青年们，带着严肃的欢欣在牺牲自己为着人类的幸福与社会福利！”马克企图阻止她去做这工作，她毅然地回答说：“不！我是自由的……”

在苏联代表团里，她认识了一个苏联秘密工作人员狄多。他注意到亚茜雅的内心矛盾。有一天他突然找她谈话。他率直的态度使她感到狼狈，他单刀直入的指出她的心事：“你要跟我们在一起，你已经跟我在一起了。”她被这话征服了。但是她仍然努力抗拒着。她说：“我不能接受任何羁束，我宁死不愿牺牲我的独立，为了维护它，我已经牺牲一切了。”接着又谈到了她的丈夫，狄多还进一步说：“让我们毫无保留的说罢，我们有权利来考察一切对我们有利的事情，这无需戴起眼镜，就可以看出你和他并不是生来拖拉同一辆车子的，我并没有攻击你的伙伴。他有，或许有各种德性，但这些德性不是你的。你是从车杆中间昂立起来了，你是对的。”

亚茜雅为马克辩解着，说他是个“心肠比思想更勇敢的人”，“他的头脑是被过多的西欧观念所充满了，这妨碍他进步，他需要时间，是会使他解放的”。

“我们没有时间，”狄多说，“让他自己去决定，否则就是你替他决定。把他带到我们这边来，或者把他抛掉，这不是少年哈姆雷特停留在坟墓旁边的时代了。‘行或者不行’，那些不愿意行的人，让他埋葬吧。把他从洞里拉出来，否则就是推他进去。但是首先，你自己要跳出来……

“鞋子太紧会使脚痛的，让他去痛，我说的是真话。你私人的历史是不能和我们所写的历史相比的。一个人肚子饿了，让他去吃饭，让他去保持安静。这只是一个肚子的事，没有别的。而我们要为整个人类服务，千百万人民不仅在面包上与爱情上挨着饥饿，而且在光明与自由上挨着饥饿啊。”

“你们也敢谈自由吗？你们！”亚茜雅抗议着。

“我们，我们敢。那些没有力量单独爬向自由的人，我们用力拉他起来。我们要把你拉起来！”

“不！”她把门猛力一关，出去了。

但是她实际上是完全接受了。当天晚上，她就以狄多的观点，去和马克辩论关于甘地的非暴力主义。而另一面一种矛盾的心理，她竭力使自己不去接近狄多，但是她心里却抑不住要去找他。她是被他所吸引所征服了。过几天，她终于又去找他谈话，他们在一家咖啡店里一直谈到晚上十点钟。这是一向所没有的事。当她沾染着一身俄国烟草的气味回家的时候，马克发现她是跟另外男子在一起，他生气了。他们口角了一场，马克终夜留在客厅里没有进房。到了明天亚茜雅带着追悔的心情想跟他去和好，但是马克已经赌气出去了。她等着他不回来，自己也走到街上。她不知不觉又走到苏联代表团去了。狄多这天是要离开巴黎回国去。她送他到寓所——一间污陋的小室里，替他收拾着行李，这时候他两个忽然发生爱的关系了。这是来得那么突然，亚茜雅完全陷于可怕的迷乱中间。当他们分别的时候，狄多对她说：“把你丈夫带到我们中间来罢！我期望着他和期望着你，他是在找寻他的道路，他迷失了道路是一种悲哀，你是知道路了！指示着他，他的位置是在我们中间的。”她为这个话所感动，因此她更觉得不能欺骗他。她决定把一切事情告诉马克。等她回到家里，马克已经宽恕她昨晚的事情，准备跟她和好了。但是愈是如此，她愈难忍。她坦直地把事情告诉他了：“我刚才和别人睡过觉了。”这个打击对于马克是可怖的。他起先是目瞪口呆，接着痛苦而狂怒。他叫亚茜雅立刻滚出去，坚决告诉她不准回来。

一颗炸弹在家庭中间爆发了，一切已经不能挽回，两个人毫不留情的分离开来。亚茜雅搬在一家小客栈里去住，连对小孩子也不及告别。安耐蒂企图去劝服她，但是已经无法弥补了。当安耐蒂从旅馆里出来的时候，她叹息说：

“只有那相爱者才能彼此相仇如此呵。”

安耐蒂是同情她的媳妇的，但是她又爱她的儿子，她知道她儿子的弱点。她完全理解他们的矛盾。她和她媳妇保持了一个联系，布置了机会让她来看她的孩子。亚茜雅在这次刺激之后，也不再到那苏联机关去工作了。当她重新恢复理智以后，她以亚洲式的定命论来接受这个失败。这裁判是公平的。她是做错了。她们两个都做错了，但一个人不必老坐着去默想那无用的遗憾或是悔恨。他能否宽恕她随他愿意！而她，她已经宽恕他了，现在她要重新开始度她其余部分的命运。她随着一个到挪威去的产业团体当记者。她把过去的破片摔在背后了。

但是马克的创伤是更痛苦的。一个很长时间内，他被屈就在那突然打击之下。疯狂与痛苦震撼着他。他一一研究了她的一切言语，一切观念，那曾和他自己的言语与观念日夜交战的。他粉碎她这些言语和观念的钢片，捡起这些碎片把它再粉碎。但是亚茜雅这些观念真是像锐利的钢片，它保卫着自己，在向他进攻，即使是碎片，仍然是直刺他的皮肉，刺痛得更厉害，留在创口里面。

亚茜雅给予他的刺激，是刺到了他个人主义的痛处。他想要加强那曾经被许多怀疑与经验所动摇过的信念，他想求之于科学，而在科学界内，他看到所谓“为科学而科学”实际上是在为着帝国主义虐杀人类而服务。他抗议这种文化，得到的回答却是：“该死的布尔塞维克！滚到莫斯科去！”马克愤怒得想用“莫斯科的棍棒”来摧毁这杀人的文化。但是一触到莫斯科，他又愤怒地想：“他们是不会要我的。”

他竭力要避开莫斯科的道路，但是不知不觉又被迫走到这条道路上来。他又求之于政治，而这些资产阶级政治家全是骗子。他们所谓“和平主义”，只是帝国主义者“掩遮着坟场的围墙而已”。他发觉他被一切党派所冷淡着，他们只是扔掉他。他的文章人家不登。他自己印了一本书，这些敌对者把它全部搜购去，六个月之后在一个角落里发现，连一本也不曾卖掉。

他憎忿极了，而在这些现实教训中间，“他的手指触到了亚茜雅叛变的真实理由了。‘真实’和‘叛变’这两个字像一个愤怒的矛盾体在击撞着。但他不能把它们分拆开来，他是被它们的指爪所擒住了。他在那无窗无门，隔绝于伟大的人民与行动的生活底个人主义死穴喘息着，这个死穴是他曾经企图把亚茜雅和他自己一起囚禁在里面的”。

于是他突然感到：“她是对的！”

“他饥饿的身体，这是他自己强迫它饥饿的，现在是在反叛他了。”在极端痛苦中间，马克的内在意识在崩溃了。而在这时候，他又遭遇了一项意外的打击。一个曾经追恋过他而后来嫁给一个资本家的女人，对他作了一次异常恶毒而卑劣的报复，使他犯了一次道德上的罪恶。这些痛苦和打击最后使他明白了："行动是健康而且必需的。"但是行动在哪里呢？亚茜雅的追求是对的。她是否已经找到它了呢？

而在这个时候，亚茜雅忽然回来了。

她跑遍整个欧洲，到处追求她的理想，但是没有结果。她到了德国，德国正在可怖的精神危机之中，法西斯主义正在抬头，一切都是为着军事的组织，为着战争准备。但她已经走近苏联的门口了。苏联是在吸引她。她想到苏联去，但是最后她取消这意念。狄多告诉过她，她的岗位是在敌人的阵营里，而另一方面她是惦念着马克。她相信马克是能够解放的。她的怀念愈来愈强烈。"我要他！我要有他。但假如他现在还不愿意呢？不管怎样，我应该使他那样。我要这样做，不必使他离开我……然而也许太迟了呢？也许他已经把生活重新组织了呢？……那么他将重新解放他的生活了……"

于是她又回到巴黎。她并没有立刻回马克那里去。

她只是先去看了安耐蒂和她的孩子。她知道只有孩子能治疗他们的创伤。只要彼此伸只手出来捉住他就行了，但两个傻瓜却拒绝这样做。安耐蒂是明白他们的心事的。可是谁也不愿意首先表示自己的需要。马克已经知道她回来，他们相互像捉迷藏似的，偷偷的在安耐蒂房子附近街角上企图彼此看到一眼，但是一看到对方的侧影又急遽地避开了。

这样的捉迷藏继续了一个时候，终于一天，两个在安耐蒂的楼梯上突然面对面的碰上了，最先是迷乱，接着是率然擦身而过，但立刻彼此同时转过身来，突然拥抱起来了。

过去的爱情焚毁了，一个新的爱情再生了。这是通过了思想的搏斗而重新结合起来的爱情。使他们相互拒斥的自傲是打破了，这打破多欣幸啊！彼此心灵之间的门相互打开了。

新的爱情从马克的创伤上重新净洁了他的血液，新的爱情使他解除了意识上精神的自私和他的绝对信念——这是使他致命的东西，新的爱情帮助他从生活的这一翼上走到那一翼上，从个人的一翼走到社会的一翼上。但是他仍然需要经过一番痛苦的挣扎，才能使他思想彻底解放。他是穿着那破旧的个人外套，直到它完全破烂了，才能把它抛弃。什么精神自由，什么非暴力主义，现在他知道这全是资产阶级知识分子的自欺。现代这些知识分子和技术家都是布尔乔亚的看门狗而已。马克太熟悉他们了，因为他自己的头脑中也曾经有这些观念，而现在他必须把它们根绝。经过无数痛苦的夜晚，马克是从他的个人自由观念解放出来，使自己担承起为那革命群众的共同行动而服务底任务，但是他的思想，还没有能弄清楚他在战斗程序中间他所应该采取的地位，他还未能超越于牺牲这个观念之外，他在暴力这个观念上仍然踌躇着。他知道如果他涉足于暴力，他会全部沉溺下的，但是他也知道这对于大多数人民是真实的，暴力对于人们是一种强烈的酒浆，喝一杯就足以使人们失去理智的控制。但是今天在欧洲要行动就不能没有暴力。多少世纪以来都是以暴力在统治，你怎样能把它改变过来？说话是无效的，只有实际的行动！

马克变得坚决起来。他觉得首先要震醒那欧洲的麻痹和瞶聋。他和几个勇敢的青年在法国搅起一个拥护苏联的组织。他得到一个旧雇主的帮助，开了一家书店，出版多种马列主义的小册，亚茜雅帮助他翻译。这个工作是危险的。亚茜雅设法使他避开种种危险。但是实际上他在战线中间还不曾确定他明确的地位。他的小册子到处被人封锁，发不出去。直到后来，他自己找到读者群众了，通过这些读者群，他的工作才逐渐展开。

这个时候，安耐蒂也获得一种生命的鼓舞。三十年前一个曾经被她所抛弃的恋人，重新和她恢复友谊了。这个人叫做裘里安·大卫，他是一个学者，过去思想是落后的，但是在大战中间，他因为维护科学的尊严，不肯赞助那些疯狂的战争者而遭受酷烈的迫害，这使他觉醒，使他进步，使他三十年后重新接受了安耐蒂过去的思想。在战后他成为一个革命的知识分子。他的一个意大利友人勃鲁诺，也是安耐蒂以前的朋友，这勃鲁诺是遭受意大利法西斯迫害而逃亡出来的。这三个人重新结合了，深切的爱在他们中间茁长起来了。这两个学者是从旧时代挣脱出来的知识分子典型，勃鲁诺比裘里安性格强烈一些，但是他们同样脱洗不了知识分子的习气。他们反对旧社会，他们很清楚历史发展的趋势。但是他们不肯行动。“他们看到资本主义的压力必然会引起爆炸，但他们并不去加速或阻滞它。他们看到流血，但不愿把他们美丽的手指插入血污里。”“这种对革命前途的过于清楚认识，这种过多的知识，反而牵掣了知识分子的行动，即使是最自由和最勇敢的。”他们好像看戏者，知道戏将怎样演，但他们自己不去参加演出。

马克这时则和他们完全不同了。虽然他也是知识分子，也有知识分子对于精神的需要，但近几年来经验告诉他，依靠这些是不中用的。真理是随着客观发展而发展，凡是所谓抽象的永恒的真理，能适用于一切事物的，往往什么也不适用。“所谓‘忠诚’的第一法则，即是精确去认识，而从这认识中间去推求出判断和行动底明确有力而具体的法则——认识不能没有行动。不是明天，不是一切时候，而是此时此地我的足所实践的土地上，才能找出确证的健康观点。”

“今天只有一个神圣的目的，劳动的目的。一切其他东西——信仰与文化，纯粹的理性，社会的优势——一切只有从重新开始建立在有组织劳动的坚强基础之上。但是在酷烈战斗之中，这种组织是要求海克里斯般的强大力量。……个人不是海克里斯，差得远呢！但是我们要做我们所能做的，我们要献出我们的一切——我的生命——以至于我所有以外，如果是必要的，我的死亡——我全部信仰的力量。只要世界上有一个像我们的人——不必多，努力做去，这细胞会使无组织的广大群众自己凝结起来，而我们将变成一座活动的大山……”

马克下了决心，集中力量为这个目的而奋斗。他觉得仅仅宣传是不够的，他开始从事于劳动群众的组织工作。

而当他这样做时，他更被认为“公共的危险”了。敌人运用种种方法来威胁他。在一次巴黎公社的群众纪念大会上，马克去作演讲。法西斯暴徒用暴力向他袭击了，亚茜雅英勇地护卫着他。他和暴徒作了一次猛烈的肉搏。他胜利了，但夫妻两个都受伤了。只有以暴才能抗暴，这简单的真理被证明了。这天晚上马克在卧榻上默祷着：为了减少人们的苦难，为了保卫被压迫者，他甘愿在未来战斗中，牺牲他自己。这件事情以后，马克在巴黎的处境是非常危险了。可是他并不在意。恰巧这时他得到一笔电影公司给他的报酬，亚茜雅提议拿这钱去作一次旅行，这提议被通过了。在这次旅行中间，他们两个人都感到一种生命的和谐，在新的信念基础之上，爱情开放出美丽的花朵。通过了战斗的痛苦，才尝到生活的欢欣。

但是悲惨的事情发生了。当他们到达意大利边境时候，已经被特务跟上了。他们曾经在旅馆里被搜查了一次，但他们仍然到弗劳伦斯去。在弗劳伦斯的最后一天，全家到街上去买东西。在一个街角上，他们看见一群法西斯暴徒在围殴一个老人和孩子。马克忍不住冲进去拯救那孩子，突然一个特务把柄刀子猛地刺入马克的胸口，这阴谋显然是事先布置的。

马克死了，亚茜雅陷于悲恸的昏迷之中，但安耐蒂却以更大勇敢去承受这意外的灾祸。在一个凄惨的深夜，婆媳两个在黑暗中守着马克的尸首。安耐蒂枯干的眼睛注视着黑暗的深渊，一切都是黑暗，上下内外都是黑暗，连她自己也是黑暗。但是“黎明回来了。一个新的时代……死亡以后的……一种奇异的阳光，她的眼睛从未见过的。……安耐蒂现在是属于另外一个时代了”。

当马克入殓的时候，她默默地向他说：

“别怕，我在这儿，我的孩子……”

她是在继续着马克的战斗了。

小说到这里完了。对于这小说，我想更无需去作什么分析了，和罗曼·罗兰其他作品一样，这本小说是充满了那样排山倒海的力量，那样明确而有力的思想。这也可以说是作者一本自我批判的书。它向知识分子提出这样一个基本的命题：个人主义必须彻底摧毁，自由主义破袄应该立刻脱掉，而且如何去摧毁呢？它明白地向我们指出两点：实践的行动，向劳动群众的结合。脱离群众，个人是无力的；没有行动，真理是虚伪的。没有抽象的生命力，只有社会的真实斗争力量。克立斯朵夫所苦恼的问题，安耐蒂，马克，亚茜雅答复了，这答复是多么重要啊！而他们能够答复它，并不是由于他们的主观精神的作用，而是由于斗争实践，由于与人民结合，由于他们的自我批判。这是应该为我们所了解的。历史又过了二十年，今天的知识分子再无需在个人主义盲巷中去作长期的摸索了。人民的力量，革命的巨潮，像太阳一样照耀在面前，现在的问题是如何去抉择，去行动。那么，对于站在新时代前面的知识分子，这一本书是有它巨大意义的。

编　后

本辑出版，因为印刷和技术上关系，略为迟了几天，应向读者致歉。这辑在形式上改变了一下，理由，读者们想来是明白的。

鲁迅先生逝世纪念日是在下月间，因为本刊是逢单月出版，故在本辑即发表《鲁迅思想发展的道路》一文，以资纪念。对于鲁迅先生思想的研究，我们觉得一般的多或片面强调其前期思想，对其后期思想评述的较少，因此常常会引起对鲁迅先生片面的，不完整的理解或曲解。我们觉得认识鲁迅先生最深刻的，应推瞿秋白先生，本文是根据瞿秋白先生的观点，更进而着重于分析其后期的思想。又前辑中，我们曾提出建立严谨批评的工作问题，本辑中特发表《论马恩的文艺批评》一文，帮助读者认识马克思主义的批评底意义与方法，态度等问题，以区别于一些非马克思主义或反马克思主义的批评。

本刊以前各辑文字，多半是就当前文艺上的问题向读者提出意见，以期引起全国文艺工作者的研究和讨论，作为推进文艺运动的条件之一。几月以来，我们得到各方读者许多指教和宝贵意见，殊深感激。可是正在本辑付刊的时候，我们忽然接到两本叫《泥土》和《歌唱》的杂志，因为本刊一二辑中曾经批评到他们那种主观论的理论，他们便以一种暴跳如雷的辱骂和诬蔑的姿态来答复本刊，这是颇为意外的。他们自命为“马列主义者”，可是无论在理论观点和态度上，都远离乃至背叛了马列主义和毛泽东文艺思想的原则，而成为一种宗派的喧闹。这种无原则的宗派主义正是今天文艺统一战线上一个问题，但是对于这种吉诃德式无原则的攻击，我们将仍然从原则上去批判，从马列主义和毛泽东的观点上予以阐明，在下一辑中，我们将发表对这一问题的文章，敬希读者注意。

催粮差

赵树理

抗战以前，还没有咱们解放区这统一累进税制度，征收田赋，还是用前清的粮银制，俗语叫“完粮”，也叫“点粮”。每年两次，夏秋各一半。

每季开了征以后不几天，县政府就把未来完粮的户口，随便挑一些，写成一张单子，并且出一张拘人的票，把单了粘在后边，派个差人出去走一趟，俗话叫催粮。要从票上看起来，有些很厉害的话，什么“……拖延不缴，殊属玩忽，着即扣究……”好像是犯了什么了不起的大罪，不过除了一年只进两回城的乡下老土，谁也知道这不过是个样子，有势头的先生们根本不理；大村大镇的人们要是没有多走过衙门的，面生一点也不过管一顿饭或者送一顿饭钱，只有荒僻山庄，才能有一点油水。

可是这种名单上写的都是前几辈子的死人名字，又查不出有没有山庄上的户口（在县政府粮册上改个名字，要写催收帖子，还要花些小费，因此除了买卖田地外，上世人死了也不去改名字）。

县政府的司法警察，不欢迎这催粮的差使，因为比起人命、盗窃、烟赌……等刑事案件来，弄钱又不多，跑路又太多。别的票子发下来，你争我夺抢不到手；这催粮票子发下来，写到谁名下谁也推不出。

崔九孩当了一辈差（司法警察），在那年虽是五十多了可还能说能跑。有一次南乡的催粮差使派到他头上，他不想去——虽然能说能跑，可总得有点油水跑得才有劲——差使多了跑不过来，本来可以临时雇人，他虽不是跑不过来，可是不想去，好在有这雇人的例子，就雇个人吧！

他雇了煎饼铺里一个伙计。这人是从镇上来的，才到城里没有几天，虽说没有催过粮，可是见过别的差人到他家里去催粮。他觉着这事也没有什么不好办——按单找户口，吃饭，要盘费，这有什么难办？他答应了，九孩就把票子、铁绳、锁子和自己的藤条手杖都交给他。

走路比卖煎饼还轻快，不慌不忙走了十五里，取出票来看看，村子里有一户叫张天锡。

进了村，到村公所一打听，村警说："催粮啦？张天锡是张局长的老爷爷，早就不在了。"他又问村警说："他住在那一院？"村警说："在南头槐树底那黑漆大门里。去不去吧。……"

听这口气，好像说"去也扯淡"。他又问："他家没有人？"村警说："二先生在家啦！"他听说有人，也就不再往下问。他想：不管几先生吧，票上有他的名字，他还能叫我空着走？主意一定，出了村公所，往二先生家里来。

到了村南头，找着槐树，又找着黑漆大门，一进去就有一个大白花狗叫起来。有个人正担着水在院里浇花，见他进去，便挡住狗问他是哪里来的。他说从城里来。那人又问："送信吗？"他说："不是！有个事啦！"

二先生在家里听见了，隔着窗问："什么事？"说着就到门边，揭开竹帘用手一点说："过来，我问问你！"他便走到门边。二先生问："说吧！什么事？是不是财政局打发你来的？"他说："不是！我是催粮的！"二先生问："催粮的？给我捎着信啦？"他说："没有！"二先生说："那你来做什么？"他说："票上有你的名字。"二先生看了看他，又问："你是新来的吧？"他说："是！"二先生摇了一下头，似乎笑了一笑说："去吧！我已经打发人点粮去了！"

他觉得奇怪了。他想：这先生怎么这样不讲面子？不给钱也不管顿饭？不管饭吧连屋子里也不叫进去坐坐？他还没有想完，二先生追他道："走吧！"说了就放下帘子把头缩回去。他生了气，就向着门里喊道："这是拘票啊！"二先生也生了气，隔着门叹气道："哪有这么不通窍的差人来！"又揭开帘道："你叫什么名？"他更气极了："我拿着票找你找错了？"浇花那个人也赶上阶台，推了他一把道："你这人真不识高低！跟二先生说话还敢那么喊叫？"白花狗也夹搀在中间叫起来。

二先生这会可真生了气："我没有见过票，拿出来我看！"他在这种局面下，一时拿不定主意，也不知是拿票好还是不拿好。浇花的劝他赶紧走开算了，可是二先生认真要他取出票来，他也只好取出来。

二先生不是没见过票，他是要看看这差人叫什么名字。二先生一看见崔九孩这个名字便问道："你就是崔九孩？"他拿着票，也只好顶住这个名，便答应道："是！"才说出个"是"字来就挨了二先生一耳光。二先生说："回去吧！叫崔九孩亲自来拿票来！"

看样子是不便再商量了，只好返回城里去。来回跑了三十里，吃了一记耳光，满肚冤枉向崔九孩去诉苦。崔九孩问明了原因，便叹气道："谁叫你到他那里去？算了算了！这是我的路途债，非自己去跑一趟不行！你挨了打还不算到底，我还得给人家说好话赔情去，要不，连票也拿不出来了！"

他满以为回来见了崔九孩可以给自己拿个主意，谁知崔九孩也这么稀松？他便问道："这家有多大势头？"崔九孩道："势头也不大，只是咱惹不起：他哥哥就是现在咱县财政局的张局长，咱得侍候人家；他从前不记得在哪县当过秘书，这几年在地方上当士绅，给别人包揽官司，常到城里来，来了住在财政局，咱还不是侍候人家？算了！你回去歇歇吧！还是得我去！"他听了这番话，也只好忍气回去卖他的煎饼，把铁绳、锁子、手杖等原物交还。崔九孩吃了午饭，仍然取上他出门的那一套便来找二先生赔情要票。

二先生家是他常去的——送信、捎东西，虽不是法警份内的事，可是局长说出来就得去——路是熟的，不用打听，一直跑到二先生院子里。

趴到玻璃窗上一看，二先生跟他老婆躺在烟灯旁边摇扇子。他嘻皮笑脸揭开帘子道："二爷！我来跟你老人家赔情来了！"说了就嘻嘻笑着，走进来蹲到窗下。二先生看见是他，冷冷道："九孩！我当你的腿折了！"九孩道："可不敢叫折了！折了还怎么给你老人家赔情来啦！嘻嘻……"二先生老婆也憋不住笑了，只有二先生没有笑。二先生似乎要说什么，可是没有开口，先提起瓷壶倒了半杯冷茶喝了。

"二爷，我给你冲去！"崔九孩一躬身站起来，提起瓷壶到厨房冲了壶茶。

当他冲茶回来，看见二先生跟他老婆都笑着，他觉着事情已经解决了，他知道二先生也不把这事情当成一回事跟自己生气，只要一高兴就不跟他们这些人计较了。他恭恭敬敬给二先生夫妇一人倒了一杯茶，然后仍蹲到自己的原地方看风色。

二先生老婆笑着说："老九孩！你怎么弄了那么个替死鬼？差一点把你二爷拴上走！"

九孩说："不用说他了太太！都只怨我！我不该偷懒！二爷知道，催粮是苦差！我老了，不想多跑，才雇了那么一个人。"

二先生也开了口："雇人也看是什么人啦！像那样一个土包子，一点礼体也没有，要对上个外面来的客人，那像个什么样子？"崔九孩自然是一溜"是"字答应下去。答应完了，又道："二爷！不要计较他！都是我的过！你骂我两句好了！"他停了一下。见二先生没有说什么，就请求道："我走吧，二爷？"二先生道："走吧！票在桌上那书夹子里！"

他从书夹子里翻出票来看一看问道："二爷！这村里还有一户叫孙二则的住在哪里？"二先生道："那是个种山地的，住在红沙岭！你到外边打听路吧！那可能给你赶个盘费，你们这些人还不是一进了山，就为了王了？"九孩笑道："对对对！二爷是明白人——二爷！再把你老人家的烟灰给我寻些喝吧？"二爷说："迟早要不够！”说着拆开个大纸包给他抓了一把。

崔九孩辞了二先生，在村里问过了通红沙岭的路，喝一点烟灰，便望着红沙岭走。快到上山的地方，他拿出一副红玻璃眼镜戴上。这眼镜戴上不如不戴，玻璃也不平，颜色又红得刺眼，直直一棵树能看成一条曲曲弯弯的红蛇，齐齐一座房能看成一堵高高低低的红墙，他到大乡镇不敢戴，戴上怕人家笑话；一进了山一定要戴，戴上了能吓住人。一根藤手杖，再配上这副眼镜，他觉着够味了。五六里山路他一点也不觉着累——一来喝上了大烟灰，二来有钱可取——越走越有劲，太阳不落就赶到红沙岭。

红沙岭这个山庄，只有七家人——三家姓孙的，四家姓刘的，都是前两辈子从河南来的开荒地的。老邻长六十多了，姓刘，念过百家姓和四言杂字，其余的人除了写文书时候画个十字，就再不动笔。

他一到庄上，有三只狗一齐向他扑来，他用一条手杖四面招架，差一点吃了亏。孩子们出来给他挡住狗，他便问一个十二三岁的女孩道："邻长住在哪里？"女孩说："在这里，我领你去！"他就跟着这女孩找着了邻长。

他问:“你就是邻长?”刘老汉点点头，问他从哪里来的。

他说:“从城里来的。你这庄上有个孙二则?”

“早就去世了!”

“他有没有后代?”

“有!有个孙孙名叫甲午。”

“在哪里住?”

“上地了!”又向那个小女道:“黑女!去叫你爹!”黑女答应了一声跑出去。

刘老汉把崔九孩让到家里喝水，问是什么事。九孩喝了一碗水，冷冷答道:“有点闲事!”刘老汉也无法再问，崔九孩也撑住气不说，只是吸烟喝水。

一会，黑女跑来，领着一个人，肩上背着件破小布衫，手里提着一顶草帽，一进门就问刘老汉道:“大伯!有人找我?”

九孩问刘老汉道:“这就是孙甲午?”

刘老汉答道:“就是!”

九孩再不往下问，掏出小铁绳来套在甲午的脖子上，用小铜锁嘣的一声锁住。甲午和刘老汉都吃了一惊。黑女看了几眼，虽说不认得是什么事，可也觉得不对，扭头跑了。

刘老汉问道："老头！究竟是什么事？"

九孩道："不忙！有票！"说着用脚踏住铁绳头，掏出票来，花啦花啦念道："查本年度下忙粮银业已开征多日，乃有单列各户，迁延不缴，殊属玩忽之至，着即拘案讯究，以儆效尤，切切此票。"又从单上指出孙二则的名字道："这是你爷爷的名字吧？"甲午不识字，刘老汉看了半天道："是倒是……！"

才念了票，甲午老婆和黑女都哭着跑来。甲午老婆看了看甲午，向刘老汉哭道："大伯！这这叫怎么过呀！黑女他爹闯下什么祸了？"刘老汉道："没有什么祸，粮缴得迟了。"甲午老婆也不懂粮缴得迟了犯什么罪，只歪着头看甲午脖子上那把铜锁。

九孩把票折好包起来，就牵住铁绳向刘老汉道："老邻长，你在吧！我把他带走了！"又把绳一拉向甲午道："走吧！"说着就向门外走。

甲午老婆和黑女都急了，哇一声一齐哭出来。

刘老汉总还算有点经验，便抢了几步到门外拦住道：“老头不要急！天也黑了！就住在这里吧！人我保住。要说到点什么小意思啦，也不要紧，总要打发你喜喜欢欢的起身啦！”又向甲午老婆道：“不要哭了！回去给人家老头做些饭！”九孩道：“倒不是说那个！今年不比往年，粮太紧！”虽是这么说，却又返回去坐下了，甲午老婆见暂且不走了，就向刘老汉道：“大伯！这事可全凭你啦呀！我回去做饭去。”说了就拉着黑女回去了。

刘老汉又向九孩道：“老头！我保住你暂且把他放开吧？他是一手人，借个钱跑个路都得他亲自去。”

九孩见这老汉还能说几句，要是叫他保住，他随便给弄个块二八毛钱，又把原人弄个不见面，难道真能把他这保人带走？他想这人放不得，便道：“人是不能放呀！住一夜倒可以。”刘老汉道：“不放也不要紧。你也累了，到炕来随便歇歇，咱个慢慢商量！”九孩便把甲午拴到桌腿上，躺到炕上去休息。刘老汉见他躺下了便向他道：“你且躺一下，我给你看饭去！”

刘老汉到了甲午家，天也黑了，庄上人也都回来了，都挤在甲午家里话弄这件事。刘老汉一进去，大家都围着来问情形。

刘老汉说：“不怕！他不过想吃几个钱，祭送祭送（乡下人迷信鬼神，得了病送鬼叫“祭送”）就没事了。”甲午老婆问：“不知道得几个钱？”刘老汉道：“要在村里给一顿饭钱就能打发走；到咱们这山庄上还不是尽力撑啦吗？你们不要多到他跟前哭闹，只要三两个人来回跑跑路，里外商量商量，要叫他看见咱不十分着急，才能省几个钱。”大家又选了两个会说话的人跟刘老汉一同去，都说：“大伯的见识高，这会全凭你啦！”

饭成了，做了一大锅，准备请大家都吃一些，可是有好多人不吃，都说：“小家人吃不住这样破费。”

九孩吃过饭，刘老汉他们背地咬着甲午的耳朵给他出了些主意。又问了他一个数目，有个青年去借了一块现洋递给刘老汉。刘老汉拿着钱向九孩道：“本来想给老头多借几个盘费，不过甲午这小家人，手头实在不宽裕，送老头这一块茶钱吧！”

一块钱那时候可以买二斗米，数目也不算小，可是住衙门的这些人，到了山庄上，就看不起这个来了。他说:“小家人叫他省个钱吧!不用!我也不在乎这块二八毛。带他到县里也没有多大要紧,不过多住几天。”

庄稼人最怕叫他在忙时候停几天工,不说甲午,别人也替他着急了。那个青年又跟甲午咬着耳朵说了一会话,又去借了两块钱,九孩还不愿意。一直熬到半夜多,钱已经借五块了,九孩仍不接,甲午看见五块钱摆在桌上,有点眼红了,便说:“大伯!你们大家也不要作难了,借人家那么些钱我指什么还人家啦?我的事还是只苦我吧!不要叫大家跟着我受罪。把钱都还了人家吧!明天我去就算了!”

九孩接着道:“对!人家甲午有种!不怕事!你们大家管人家做甚?”说了又躺下自言自语道:“怕你小伙子硬笨啦?罪也是难受着啦!一进去还不是先揍一顿板子?”

甲午道:“那有什么法?没钱还不是由人家摆弄啦?”

刘老汉也趁势推道:“实在不行也只好有你们的事在!”把桌子上的五块钱一收拾,捏在自己手里向那个借钱的青年一伸。青年伸手去接,刘老汉可没有立刻递给他，顺便扭头轻轻问九孩道："老头！真不行吗？"

九孩看见再要不答应，五块现银洋"当啷"一声就掉在那个青年手里跑了，就赶紧改口道："要不是看你老邻长的面子上的话，可真是不行！"刘老汉见他改了口，又把钱转递到他手里道："要你被屈！"他接住钱又笑回道："这我可爱财了！"

九孩把手往衣袋里一塞，装过大洋，掏出钥匙来，开了锁，解了铁绳，把甲午放出。

武池村农民的诗

算盘子

算盘子
稞儿利
富人活剥穷人皮
受苦一年又一年
一辈子还不清本和利
咱在地里干
人家在家算
地里干赶不上家里算
算的算的发了财
干的干的穷到底。

找着根

你收租

我绝粮

你家吃肉

我家吃糠

你发财有原因

我倒灶这才找着根

这一笔穷账

今天要算清。

瞎老妈

洪　林

瞎老妈的命，是黄连木刻成的——可真是苦极啦！

头二十年，瞎老妈既不老，也不瞎，人家叫她孙大嫂。身体长得十分丰满结实，和她的矮小的男人一比，真不相称。打场的时候，孙大哥扛不动的粮食口袋，她抱起来走好远；这一带女人挑水的很少，可是孙大嫂一天两挑子水，走起来比个男的还轻快稳当。所以一些调皮的年青人，一见到孙大哥，总爱开个玩笑，说："小河里养了条二尺半的大鱼，怕留不住罢！"有时候，当着他们夫妻俩的面，说："喂！你两个打一仗罢，瞧谁打得过谁！"可是，孙大嫂是壮实的身子，柔和的心，她从不嫌男人矮小，两口子连一次嘴都没有吵过。

但是，好景不常在，到了民国十八年春天到处流行着灾荒，孙大哥只有四亩多地，秋天打得不够种子，眼前又是麦地里不见苗——眼看着麦收也绝了望。

本庄有个财主，叫何家宝，因是老五，人称何五爷，外号“五铁耙”，放高利，收重租，靠着喝穷人的血，弄了四五顷地。当着穷人家过年连䅟子煎饼也吃不上的时候，他家吃的是白糖洋面的鸡蛋卷，过着这个“贱年”，穷汉哭，财主笑，笑什么？原来放高利贷的好时机来到了。可是穷人心里也明白，何五爷的钱是不好使的。大家说：“能叫孩子瘦呀，不敢吃五铁耙的豆。”“借钱是借刀，当时胡弄了肚子，说不定什么时候头就没有了。”穷人们宁愿剜野菜吃树皮，有的饿死了，有的饿病了，还有的浑身肿起来，何五爷见了，笑着说：“日子过好了，大家都发福了。”

到后来，树皮树叶也吃没了，还怎么办呢？只有三条路，一条是活活的饿死，一条还是借何五爷的催命钱，再一条呢？拿起巴棍去要饭。就是在这年春天，全庄一百多户人家，就有二十九根要饭棍出发了。

孙大哥挨到最后，和大嫂商议了多少回。这时大嫂肚子里已经怀了五个月的孕，本想去借钱，被邻舍家劝住了说："哪里的河水不能解渴？哪里的黄土不能埋人？——还是走罢！"于是夫妻两人就约和了几个伴，到青州府一带去要饭。

九月里，孩子生下来了，就取个小名，叫"青州"。

冬天，青州府下了大雪，饭也要不出来了，要饭的人连个破屋也没有，又饿又冻，孙大嫂几个月就折磨得不像人形，她说："回去罢，家里好歹还有两间破屋，这样在外面受罪，下回饿死也不再出来了。"于是怀里抱着不满周岁的孩子，回到了家乡。

从这以后，孙家走了下坡路。

*　　*　　*

回到家乡，家乡变了：有的全家死绝了，有的下了关东，在家里也只是留着半条命。谁过好了吗？也有的，那就是何五爷，他从五顷地变为七顷多，日子过得更好了。唉，那个年头，就是"财主日日肥，穷汉日日瘦"的年头啊！

孙大嫂是个能干的女人，她一到家，就卖了一亩多地，到了春天，男的下湖种地，她到山上拾草，夜间自己坐在炕头上纺线，这样好歹弄两个钱，哄着肚子不叫唤，平平稳稳的过了三四个年头。但是孙大嫂从产后要饭，到现在身子是一天不如一天了。

二十二年的秋天，孙大嫂照例带着五岁的“青州”到山上去刨草，有一天，刨了一大堆草，还拾一些干树枝，正要下山，树行里钻出来一个人，手里拿着一根半截红半截黑的短棒，照着大嫂没头没脑的打下来。说：“你这些穷种，我当是谁天天到五老爷的树行里搬树枝，原来是你，原来是你！”可怜，三棒把孙大嫂额头打了个洞，血呼呼的朝外淌。

刨的草留下来了，刨草的镢头也留下来了，头也打破了，该算了罢，但是，不，五铁耙的耙齿是要啃到人的心肝才算罢休的。当下，那人跟到孙家，硬说孙大嫂偷摘了何五爷的树枝，非抓到五爷的围子里去不可，好容易经大家说和，才算罚了十五块钱完事。

穷人是整天在铁山上走，那里见到一点铜？更别说银元了！十五块钱，交不上，就算借了何五爷的债，记上账，那人回去了。

从来没借过人家钱的孙大哥，到了年底，也有人来要账了。没有钱给，来人拿出算盘一边念一边打，打完了说："好，五爷看你穷，这回不要账了。可是十五块钱四分利，五个月，现在是十八块钱了，不是个小数，你这回不给，就得指地作保，呶，在这张纸上打个手印罢！"

人家说："算盘响，眼泪淌！"这话真不错啊！

当下，一家三口，眼看着白纸上写的黑字，也不知那上面搗的什么鬼，孙大哥颤抖着手，打了手印。

第二年年底，那人又背着"马褡子"，半夜里打着灯笼来了——"要账的来叫门，大人小孩吓掉魂！"那人一进门，青州就吓得伏在妈妈怀里，一动也不敢动。这回还是一个钱没要着，算盘珠子又一弹，来人说："这回是二十六块六毛啦，你上回是指的东岭上一亩八分地，现在驮不住啦，还得把庄西头那一亩半地算上。"于是孙大哥又颤抖着手在一张新的写着黑字的白纸上打了手印。

来人走了，孙大哥流着泪，这两块地就是他家的全部财产，尤其庄西头那一亩半，还算是全庄的中上地。孙大嫂看着男人，自己却没有一滴眼泪，她说："别急，明年你去给人扎觅汉，我也再找点活干干，年底不能都还他，也能还一半。”

到底孙大嫂的主意不差，一年的辛勤劳动，积到年底，积了十六元钱。腊月二十八的晚上，要账的又打着灯笼来了，后面还跟着两名武装。一进门，就大声问，“借粮还粮，借钱还钱，你家欠五老爷的款，一年又一年，今天怎样啦？”孙大哥把一家大小血汗换来的十六元钞票，恭恭敬敬的递了上去，抖索着说：

“有这些，差也差不许多了罢！”

“什么？”要债的瞪着眼，“差不许多，你看看，这里账本子上，上年二十六块六，今年三十七块三，你这几个钱，打发利钱还差不多啦！”

两口子吓呆了，三十七元，三十七元，怎么长的这么快，刚下生的驴驹子见风长也没有那样快呀！可是，不等得他们去寻思，要账的凶如狼，两名团丁翻箱倒柜，要钱要账。

“不给钱，”要账的气呼呼的吆喝着，“× 你祖宗。这年头，有王法还有国法，哪有借钱不还之理！好，不还，不还就准地。你自己打的手印在这里，那两块地从今天起就不是你姓孙的啦！”

矮小的孙大哥，一下子跪在要账的面前，说："钱，明年再去给人扎活，一定还，还，可千万别准地！"

要账的手一摔，说："你扎活，扎十年也还不上啦，这些穷种，命里不该有地，走，别再啰苏了！"

走了的三个人，气呼呼的骂着，吆喝着；留下的三个呢？哭着，在地上滚着，抓着地。忽然，孙大嫂站起来，朝屋外一直跑走了。孙大哥没有看见，等他发觉的时候，他急了，他寻思，她一定是到井边去了，于是，爬起来，跑到外面，半夜里，地上白雪有一尺多厚，天上还飘着雪花，孙大哥裂破嗓子叫着！

"青州的妈呀！别寻死呀！青州的妈呀！你上哪里去了呀！"

可是，雪无声无息的下着，一点回音也没有。他奔到井边，井口黑黑的张着；他奔到大河边，大河的水在冰下面哗哗的流着；谁也没有告诉他，到底是什么吞没了他的女人没有。他跑着，跑着，不知什么时候，才回到家里，孙大嫂仍然没有影子，青州也不见了，他嗓子也叫哑了，雪水浸透了破旧的袄，泥浆沾满了单薄的裤角。他望望屋里，望望屋外，喘着气，忽然，奔到窗口，拿起一把较快的镰刀，对准了自己的喉咙，用力的，一下子，又一下子……

天明，孙大嫂回来了，她并没有去寻死，她到了何五爷的围子里，想去求情，可是团丁把她撵了出来，她坐在围墙下惨叫了一夜，哭了一夜。天亮了别人把她送回家门口，一到屋里，啊呀！她看见孙大哥躺在地上简直成了血布袋，就一头栽倒在地上，昏过去了。

等她醒来，再好好看一看，孙大哥眼还没闭，血淌了一地，嘴张着，满嘴血沫，像是有话说，可是一个字也说不出来。他朝着孙大嫂望着，费力的伸出了右手，张开了五个指头……

蛤蟆到死还得鼓鼓肚，可是孙大哥到死只张开了这五个指头。这五个指头孙大嫂可明白了他的意思，那是说："我是给这五个指头害死的，你要给我报仇，青州大了也要给我报仇！"

又挨了十几分钟，孙大哥死了。

孙大嫂大叫一声，又昏过去了。醒来，她哽咽着，一声不响，回到屋里，拿起一根绳子，挂在梁头上，正要把头套上去，忽然门外面一声：

“妈——！”

一看，原来是青州半夜跑到邻屋家里，现在回来了。

大嫂放开绳子，一把抱住青州，嚎啕大哭起来……

*　　　　*　　　　*

时间慢悠悠的过去，又到了春天。

孙大嫂家没有了地，更没法子度日。求来求去，还是求到何五爷家——唉，不是穷人志气短，也不是孙大嫂不记仇，是肚子饿逼的。“要想活，把头磕。”孙大嫂又有什么办法不再忍受五铁耙的剥削呢！？

这回孙大嫂靠着“人托人，脸托脸”好容易把青州送到何五爷家里去放牛，还说明了：“只求赏俺孩子一碗饭吃，工钱不工钱，看着给！”果然五爷就看着给了，他说；“这孩子八岁，就算是一块钱一岁，给他八块钱一年吧！”八块钱也就是开恩，孙大嫂忍着泪把孩子送到何五爷的家里。

孙大嫂一个人在家，纺线、洗衣裳、拾柴火……用各种办法使自己活下去。她现在是“指地皆无”。她不敢走到庄西头，她怕看那块从前姓孙现在姓何的地：春天，那块地里麦苗绿油油的，可是，这麦子孙大嫂吃不到口；秋天，那块地里豆子长得又肥又大，可是，这豆子装不到孙大嫂的口袋。

时间还是慢悠悠的过着，青州还在何五爷家里放牛，孙大嫂还是艰难的熬着那辛苦的岁月。她已经渐渐衰老，谁也认不出那就是从前一天挑两担水的孙大嫂了。这样到了三十一年，祸事又来了。

那时青州十四岁，何五爷也有一个孩子叫小顺，才十三岁。两人虽有主奴之分，可是到底小孩子，有时候不免说说闹闹，孙大嫂一再叮嘱青州，说："可别和他家小顺子斗呀，那不好惹，惹出了祸事可了不得呀！"青州也算是记在心上，平常总是和几个伙计们在一块，能够躲着小顺就躲了。

有一天，青州在地里弄了好几条豆虫，带回来想烧着吃，给小顺看见了，说："给我！"

"给你？你自己不会上地里去捉！"

"不给我？我去告诉爸爸去！"

"告诉五铁耙去，我不怕。再不，等我吃了拉出屎来给你。"

"你这个小杂种，我血你妈妈！"

“我血你妈妈！”

“我 × 你姐！”

“我 × 你姐！”

“我 × 你祖奶奶！”

“我 × 你……”

青州的一句话没骂完，“拍！”的一个大巴掌从脑后打来，跟着是五铁耙粗大的嗓子：“你这个小私孩子，敢在这里骂我的儿！我叫你骂！我叫你骂！”说一句，打一巴掌，再说一句，再打一巴掌，五铁耙的手指真和耙齿差不多，几下子就把青州打昏过去了。

那晚上，十四岁的青州伏在床上哭，妈妈坐在床沿上。

“他骂我，我为什么不骂他！”青州哭着说。

“孩子，这年头，只兴财主骂穷人，还兴穷人骂财主吗？”

“我不管那一套，他爸爸害死了我爸爸，我仇还没有报哩，又叫我受他爷俩的气，那可不行！”

“……”妈妈也哭了。妈妈说不出话来，她想到男人临死时的五个指头，恨自己为什么又把小孩送到虎口里去。

那一夜，破屋里母子俩哭了一整夜。

天明，青州一早爬起来，拿起根磨棍就向外走，妈妈紧跟在后面，夺住了磨棍的一头，叫了声：

“青州——”

她的眼泪立刻又扑簌簌的往下流。青州把磨棍一丢，说；

“好，不用磨棍还揍不死他！”说完就走出门去了。

吃饭的时候，孙大嫂去看他，他低着头，一声不响，在和伙计们一块吃饭，她一直等饭吃完了，别人都下了湖，青州刚牵出牛，妈妈说：

“青州，可别给我闯祸啊！”

青州哼了一声，走了。

一天没动静。

可是，黑天的时候，何五爷忽然派人来找青州。说是小顺今天到地里去耍的时候，被青州打了，混身发青。牛也跑了，非抓住青州去问罪不可。

但是青州呢？青州呢？

一天，两天……十天过去了，青州没回来——青州跑了。

幸亏那时候年头有些变了，听说有股八路军离这里不远，这一带也在动荡不定，何五爷就此按下了这件事，也没难为着孙大嫂。

但是，孙大嫂却苦了——十几年来，要饭，受罪，地给人家霸占了，男人惨死了，现在连唯一依靠的孩子也不见了。她想着："我年年敬天，年年拜神，为什么老天偏偏叫我摊着这样一个苦命呢？"

她哭着，哭着，白天也哭，夜里也哭，一个月哭，两个月哭，眼睛哭肿了，眼睛哭红了，可是肿了，红了，还是哭。然后害眼了，眼皮里面像是生了东西，睁不开，又过了一个多月，她的眼完全瞎了！

这时她的年纪也已经不小，称她孙大嫂的已经很少，而称她孙大妈的倒一天天多起来，从她瞎眼以后，大家在背后都称呼她是瞎老妈了。

谁夺去了瞎老妈的土地？谁夺去了瞎老妈的男人？谁又夺去了瞎老妈唯一的孩子？谁还最后夺去了瞎老妈明亮的眼睛？这些，瞎老妈自己明白，全庄的人也明白。

人家给瞎老妈编过唱，那上面说：

"瞎老妈，好命苦！
吃的是——三粒米的薄糊涂；
穿的是——露着腿弯的灯笼裤。
当年的力气赛母牛，
而今只剩一把穷骨头。
白天也是夜晚，
太阳地里走黑路，——瞎眼的妈妈好命苦！
人家问：
'你家的男人那里去了？'
——瞎老妈哭。
人家问：
'你家的孩子那里去了？'
——瞎老妈哭。
哭！哭！哭！
苦！苦！苦！"

就在这样黑暗的岁月里，瞎老妈又过了两年多。

*　　　　*　　　　*

三十四年的秋天，忽然来新消息！

"鬼子投降了！城里的鬼子叫八路军都俘虏去了！"

年青青的八路军，从南边像水一样淌过来，又从这里开到北边去。对于这长久处在敌占区的人民是多么兴奋啊！

有人告诉瞎老妈，说：“八路军是救命军呀，过来就好了呀！穷人翻身的日子到了呀！”

瞎老妈心里想：“真有这个事吗？”

人家又告诉瞎老妈，说：“现在天下出了个毛主席呀，是咱穷人的救星呀，他头顶上的光照到哪里哪里亮，他手下的兵到了哪里哪里太平。”

可是，瞎老妈想：“毛主席再好，他的光还能照到俺这个山沟里的小穷庄吗？还能照到俺这间破烂的小屋子里吗？还能照到我这瞎老婆的身上吗？”

又过了一个多月，人家又说：“外庄减租啦，穷人和财主讲了理啦，千年的冤屈伸直啦，死的报了仇啦，活的翻了身啦！——那一带晴了天啦！”

瞎老妈心里跳了，“这是真的吗！？”

有一天，瞎老妈家里忽然来了一个同志，啦了半天，问到瞎老妈眼怎么瞎的，瞎老妈不敢说，光说想儿子想的。那个同志安慰了几句，走了。

不几天，庄里的穷人们都动弹起来了，好几个跑到瞎老妈这里来说："大妈，咱这里受五铁耙的罪也受够了，咱不得和他算算账，讲讲理吗？你苦水也得吐一吐啦！"

风越刮越响了，农救会也成立起来了，庄里的人天天都在热哄哄的开会，大家说："咱庄翻身的日子到啦！"于是定下好日子——腊月二十八的上午，和五铁耙讲理。

人家早告诉了瞎老妈，她在头天晚上，一夜没睡觉。快天明的时候，迷迷糊糊的，看见男人来了，满脸血，满身血，张着大嘴吐着血沫，像是有什么话说不出来，忽然举起一只大手，张开五只手指头，一下子推到瞎老妈的脸上。瞎老妈吓得一身汗，醒了，她默默的说："好，你的意思我明白，我今天就给你报仇！"

吃了早饭，别人来叫瞎老妈，瞎老妈说："不用叫，我今天爬也得爬到会场去。"

讲理会开了，瞎老妈看不见，只觉得天上地下都是人，四五十里以外也还是人。她第一次那么心急的想睁开眼，看看五铁耙是个什么样，看看那些"见人低三辈"的穷人们是个什么样。但是她睁不开眼，她的眼瞎三年了。

一个个站起来，说着，哭着，口号的声音叫着。于是瞎老妈也站起来，她试着有人搀扶着她，四周的声音都静了下来，她开始讲了，她讲她怎么要饭，怎么上山刨草，怎么打破了头，怎么罚款，怎么要账，忽然，她的声音变了，像是裂破布一样，大声嘶喊起来！

“十年前呀！就是今天呀！腊月二十八呀！五铁耙派人来要催命钱呀！准俺的地呀！俺娘们跪着求他也不让呀！要俺的命呀！逼着俺那苦命的割自己的喉咙管呀！他……他……他……死得好惨……惨呀……”

忽然，声音断了，瞎老妈昏过去了。

当她醒来的时候，她听到雷一般的口号声——

“五铁耙呀！喝血鬼呀！

今天晴了天啦！

穷人要翻身啦！”

……

讲理会结束后，两块地回给了瞎老妈，还分给她一些养老金，保证她的最低生活。瞎老妈说：“我的仇报了，苦水吐了，往后我能干些什么就干什么，用不着养老金。”可是大家一定要她收下，从此瞎老妈的日子一天天好起来。

*　　　　*　　　　*

今年夏天，一件非常惊奇的事情在庄里出现了——青州回来了。

青州跑到家里，叫了声“妈，我回来了”。可是，他立刻看见，妈妈的眼瞎了。

瞎了的眼睛里又流出了眼泪，她叫着：“青州，青州，俺儿，俺儿！”

她抚摸着他的身子，身上扎着皮带；她抚摸着他的头，头上戴着军帽。他告诉妈妈：“儿从家里跑出去以后，就参加八路军了。”

瞎老妈拉着孩子的手，把这三年多的事细细的讲给他听。讲完了，青州的脸上闪着泪花，一下子抱住了妈妈的身子说：

“妈，我爸爸的仇这回可报了，太阳也终有一天晒到咱的家门口了！可是，妈，有一件，你的眼……你的眼再也看不见了！”

“不，孩子，妈妈看得见的，妈妈看得见的！现在的天晴了，天亮了，妈妈不是看得清清楚楚吗？”

一九四六年八月一五日于临沂

我有好主意

宇金生

八路军来到了，
地主手段更是高：
见了穷人一面笑，
见了代表就拱腰。

“宇大哥那里去？
咱有牲口你种地；
没有吃的来找我，
你家困难没问题！”

我老宇背后笑嘻嘻，

好你地主坏东西！
一撅屁股——
就知你要放啥屁。

先前你恨俺不死，
如今你从那能有好心地？
不怕你地主手段高，
反正我有好主意。

短 工

衡 水

白米饭　蚂蚁渣
二八米的窝窝糠大撒
老咸菜
干巴巴
老葱菜子一大掏
算工钱　算几八
四个短工饿死仨
剩下一个还好点
爬也爬不到家

诉　苦

白小保

东村苦
西村苦
哪村也没贾泉苦
四街恶霸套了手
逼的群众没出路
媳妇逼的没男人
男人逼的没媳妇
吃的没吃处
睡的没宿处
还要送到东沟集上挨火柱

在后方勤务站

健　群

一　慰问之夜

×疃是一个后方勤务站。打黄昏起，不断的由前方送下来彩号和赵逆士兵伤号，在这里打尖吃饭，打针，上药，再送到医院去治疗。男人大都到前方去帮助打仗和运输去了，这夜后方勤务工作，是由妇女们来担任的。她们很知道从事这一工作的光荣意义，妇救会主任一招呼，不用费事都就去了。周大嫂临去时，她婆婆周大娘一再嘱咐道：

“嫚，去的时候，管怎么得好好地照顾同志呵！他们是为我们老民受伤的哪！”

“嗯，我知道！”周大嫂随口答应着忽匆匆地就要走。

“嫚，”周大娘又叫回她来絮叨着，“带块干粮揣在怀里，饿了好吃一口！……嗯，过年的饺子我给你留着。”

“嗯……”周大嫂应声走了。

她们管理的很有秩序：四十多个青年妇女分成若干小队，分头管理，有的烧水，煮稀饭，打鸡蛋；有的专门去喂彩号同志吃饭。

现在，大概是过了半夜了吧。她们刚匆匆忙忙的送走了一批伤号，坐在篝火旁休息，忙了半夜，说实话委实有些疲倦了，周大嫂打了个哈欠，左手支着头，望着熊熊的篝火，眼皮不知不觉的闭上了。矇矇胧胧的打起瞌睡来。

篝火烧得更旺了，周大嫂身旁的姜凤美微笑的望着通红的美丽的跳动着的火舌，悠闲的拨弄着木块，臆想着这不平凡的年夜：她越想越兴奋，蓦然的抬起头来，向身旁的周大嫂说：

“今年打垮了赵保原，比过甚么年都好呵！……嗯，你怎么睡了？！”这时她才发觉周大嫂在打磕睡。

“哪里！哪里！”周大嫂连忙抬起头来想分辩着，揉揉眼睛，“唉，我怎么……”

“真的，今年比过甚么年都好！”一个女青抗先队员没等周大嫂回答，就接着说：“哼！听说前线上还有女青抗先队员去运输呢，我要随民兵一块去，他就不让！就不让！哼！……”她想起没能到前线去，直到现在还有余愤。“为什么人家能去，咱就不能去？听说人家郁都就去了好几个女的。……”

接着就有几个青年妇女合着，打抱不平，周大嫂这时才完全清醒起来，听清楚了她们的话，排解道：

“没能去也就算了吧，我们现在在后方侍候伤号，还不是一个样？”

突然，有人喊道：“来了！快准备！”人家就都停了嘴站起来，忙忙活活的分头工作去了！

不料这次伤号抬来的真多！三四十抬！她们忙活不了了。房东大嫂带着七八个月的“身子”（孕），已经不大能动弹了，见她们忙不过来，竟也下炕来要帮她们的忙。

“不用！大嫂，哪好这样，你，——”

“不要紧，人家八路军为我们老百姓受了伤，我这点‘病’还算甚么？”她不好意思说怀孕，所以称“病”。她们仍然不叫她去做，执拗了好一会，终于拗不过她，让她下炕来做些烧火打鸡蛋的不大动的工作。

隔壁，卖猪肉的大嫂，听说等鸡蛋用，连忙送过一把来。

“这是我慰劳伤号同志的，真拿不出手啊！”

就这样，她们直忙碌到天明。……

二　爱与憎

天明，剩余的篝火还在燃烧，她们疲倦的脸色，也随着朝阳而兴奋的红润起来，忙乱的收拾着碗，筷，……

不料 × 疃自动相约的十八个老太太颤巍巍地走来了。——是来接青年妇女的班的。

“不要紧，你们回去吧，我们有别的疃来换班呵！”

“哎，这怎么好，怎么能惊动起来呵！”一个女同志也赶来这样的劝阻着。

“这算不了甚么呀！我们这些老人别的不能做了，

给同志们洗洗衣服，侍候侍候伤号还能尽点力呵！”周大娘代表老太太们说着，“你想我们都是一家人呀，用不着客气。”

正在争让之际，伤号抬来了，大家都散开来分头服务去了。

“‘黄皮子’（指赵逆官兵。——编者）放哪？”一个粗暴的声音。

“放那边吧！”一个同志指着街南的墙角。

周大娘慢腾腾的向那个“黄皮子”走过去，问道：

“你喝水吗？”

“不要！”黄皮子答道。

“你饿吗？吃点甚么吧！”

“不饿！”

“你家也有老爹老妈吗？”

“有！”

“你家也有姊妹弟兄吗？”

“有。”

“你有老婆孩子吗？”

“有。”他的声音有些苦涩了。

“嗯，”周大娘仍然不紧不慢的一句一句的问着，“你不挂挂他们吗？”

他，——黄皮子停了一会才答道：

“现在挂挂又有甚么办法呢？！”说完不知怎的悲从中来，蜡黄的脸上痉挛的抽搐着，衔在嘴角的香烟也掉下来了，使劲把被头望脸上蒙。

“你不要蒙！”周大娘气哼哼的，弯下腰去，一把抓下他蒙在脸上的被，“你现在也知道想你老妈老爹，老婆孩子了！你可知道前年十月十六日，你们这些赵保原的贼种，跟着鬼子到我们这里‘拉大网’，赶得俺满山遍野的跑，还把俺三个孩子都拉去了！驴也拉去了！母子连心肉呵！你知道俺那时是甚么滋味啊！俺二儿子的脸叫你们火烧的肿的有个盆大！你们这些狠心的东西想把他害死！是不是？你们简直比鬼子还厉害啊！”她说着，说着，就哭起来了。旁边围了一大群人。

“大娘，不是我呵！”黄皮子畏怯的想分辩着。

“不是你们是谁？”从人丛里跳出一个老爹来，指着他的脸说，“你只当我不认识你？那年你们和鬼子来‘扫荡’，我病在家里不能动弹，你们要打要骂，还蹲在我睡觉的炕上屙屎，这还不算，还把我满满一袋子黄烟倒在屎里，你说，不是你是谁？”

他，黄皮子没法抵赖了，只是哭，羞惭地又拉过被来蒙上头，周大娘止住了哭，又一把把被抓开，道：

“哭什么，大汉子家！我告诉你，你不用怕，我们八路军不和你们穷贼赵保原一样，要是我们八路军同志被你们抓去，又杀又砍的，可是，在我们这里，你放宽心吧，一不打你，二不骂你，还优待你，要不，送你们到医院去养伤干甚么？只要你们回心转意，不再做坏事，愿意回家，送你回家去，干点正经营生，当个好老百姓，不要再‘五花六门’的。愿意抗日，在我们八路军里干，俺老百姓会像现在待我们同志一样的待你们的，……你放宽心吧！”周大娘斥责了一气，又理直气壮的讲了一番大道理。他的心宽了许多，但还在抽搐着。

“……看把你美的！”周大娘望着他满嘴发光的金牙，厌恶的说，“我们不是来看你们的，我们是来侍候八路军的，你们支使不起我们。……”她絮叨着，走向我们伤号同志那边去了，许多人都在忙吵吵的喂饭，拿水，她连忙端过一碗稀饭，紧走几步：

“你看，我说了那个穷贼几句，差点儿把正经事耽误了！”

她弯下腰去，在一个伤号同志的面前，望着他包扎着的前额，绑吊着的臂膀，不觉心痛起来，“你看看，叫这些穷贼打的！”她坐在小凳子上，用匙羹尝尝大米稀饭的冷热，一勺一勺的喂着。不时问：“同志，怎么样？热吗？”

“不热。大娘喂的真好啊！”

“哎，你看看叫他们打的！你好好的安心养伤吧，我们老百姓都挂挂你们呀！”

“嗯，大娘，我认得你，你是××疃的。等我养好伤看你去。……”说完他的嘴边浮着微笑。

“好，去吧，我杀只鸡慰劳你！”

他吃完了一碗稀饭重述着：“好的很啊！大娘你喂的真好！”

“还要吗？”

他摇摇头。周大娘站起来，给他把被掖好，拍打拍打，“唉，大冷的天，不要冻着！”又颤巍巍地走到另一个伤号那去喂饭去了。

三　她们是为这样的事争吵

她们已忙了两夜了，现在虽然仍在兴奋的忙着，没有一个发怨言的；但领导上为照顾她们的疲劳，挂电话叫 × 疃妇女提前接班。× 疃妇女来了，她们不让接班：

“没到时间你们来干么？”

“我们是来接班的。”

“你知道，现在是我们的工作时间，而不是你们的时间。”

“但是，你们忙了两夜太累了，所以叫我们来……”

“这是我们应当应分的事，你们 × 疃用不着管。”

“请你想想我们是来慰问侍候伤号的，不是来闲站的。”

“管你来闲站不闲站，这时候不能接班。”

“……”

她们就这样的争吵不休，一个要接班，一个不让接，没办法解决。最后只好打到队长那里去。队长劝说叫她们下班也没有用，队长急的在屋里来回走，最后把脸一沉，严肃的说：

“你们听不听命令？”

“听！”

“好！听命令：现在派 × 疃妇女去接你们的班，你们马上回去休息。”

这场争吵就这样解决了。

致家乡

邹荻帆

隔着山，
隔着海，
我读到你被解放的消息。

我是在欢喜着呀？
我是在激动着呢？
我不知道啊。
当我看见这条新六号字排成的
几乎被编辑们挤掉的消息，
家乡啊，
我要送给你这首新诗！

我知道的，

现在太阳已经照在
你的通风的窗子上
鸟雀跳着的屋脊上
活泼的河流上
抬起头的山岗上
和你的笑着的人民的脸上，
然而我还忘记不了
那段黑暗时期的可怕的往事。

我的家乡
你原是黑土里面埋着种子
玻璃样的河里跳着鲜鱼的，
还当我在家乡的学馆
描画着“芥子园画谱”的时候，
我梦一样用我的笔
赞颂着你啊：
花红叶绿的是村庄，
海蓝色的是天宇，
蜂蜜流成的河

穿过了黄金的谷粒堆成的堤。

然而为什么
我又听着你的人民们感欢的歌谣呢：
“沙湖沔阳州　十年九不收（指收获），
只要是收了，
狗子都不吃糯米粥！”

你是十年九不收的，
因为修筑堤防的官员们
永远吞没着公款，
纸糊篾扎般修筑着剧场上布景一样的长堤；
而后洪水吞没着村庄，
吞没着劳动者日晒、夜露、风吹、雨打
用手一双培养的希望。

你是十年九不收的，
因为地主们永远是
拿去了谷子还要稻草，

拿去了鸡子还要鸡蛋，
鞭子抽打着，
厩房囚禁着人民，
高利贷抵押着农民的妻女，
饥饿着依然被驱使着去耕田垦地。

我看见过多少次农民的暴动，
在那月黑风高的惊惶的夜里，
锣声突然响了，
人们在声嘶地呼喊
走啊
吃大户，
佬子们白刀子进
红刀子出……

一群红着眼睛的人
冲向地主的仓库，
你们撞开了仓库的门，
你们狂喊着

放火烧啊，
烧他妈的房子。
你们吆喝着那些地主的狗们，
滚开，
别碰上佬子们，
镰刀是没有眼睛的！

然而我又看见子弹向着你们射击，
你们倒下，
你们胸膛上流着红通通的人的血，
你们一只手摩着一袋抢来的米，
一只手抛开了你们抚摩了一辈子的
那留着手指痕迹的镰刀和锄头
——你们的临时的武器！

在村边的
一棵大枫树上，
悬着一颗血淋淋的头，
黑白的眼睛

依然虎虎地睁着，
紧网地咬着流血的牙齿，
弟兄啊，
你们的精神永远不屈服，
你们的灵魂并未有死去。

于是我又看见
我的小姊妹们
背着锣鼓
在外乡外省的街头
用我熟悉的乡音唱着灾难的故事，
凄凉的三盘鼓声
和悲愤的身世，
好多次使我在失眠的他乡
痛哭着我们的遭遇！

姊妹们啊，
你们知道吗？
十年前当我读过《家》和《子夜》

启示着我写了第一本暴露家乡的长诗，

而我的诗集被禁止销售，

那折磨着你们也折磨着我的

家乡的地头蛇们高声扬言着——

如果我回去就要打断我的腿子。

多少次我想起我的白头发的父母，

多少次他们在渡船口等着我

而且念着我的名字；

一直到他们死了，

还留话告诉我——

如果我回去

要绕着他们的坟墓走三转，叫唤他们，

他们才能闭上眼皮。

我不能回去，

而你们被家乡的恶魔们驱出，

在一个落雪的大年夜

当我走过街头，

看见你们偃锣息鼓
无声地走在街头，
我听到了你们饥肠辘辘，
看到了你们冻红的手指，
哦，年夜的家乡里
红灯笼映着的该是谁的影子！

现在
当我知道
解放的大旗已卷动到我的家乡，
我可以想得到
那鲜亮的红旗
从杨林口飘飘着进来，
四方会震动着雄壮的歌声，
顽皮的孩子们会向战士们要着玩具，
少女们会沿着大路准备着茶水，
老年的夫妇们会赠送着果食。

我听到的

解放军打开了地主和官府的仓库，
把粮食、布匹、棉花、种子
分散给人民，
让劳动者都丰衣足食，
让种田的都有土地。

我听到的
在一个偏僻的乡村的小路上，
特务们勾结着流氓
打劫着路上的棉花贩和小商人，
然后把罪名栽在解放军的头上，
想破坏新的秩序，造成路断人稀。

又有一天
十几个战士们化装成棉花商人从这小路经过，
等到匪徒们要去抢劫他们的货物
他们却突然地抽出了手枪
一网打尽了这批破坏分子；
此后的深更半夜里

这小路依然走着微笑的单身旅客，
计划着明天再赶另外的市集。

那么
我的家乡的兄弟姊妹们啊，
现在伸出你们的手呀，
去紧紧地拥抱着那旗帜下的战士。

起来哟
我的兄弟姊妹们！
驱逐掉你们对统治者的恐惧。
在这旗帜下的战士们
也同你们一样呀，
他们也曾是受着压迫的奴隶，
而当他们团结起来时，
法西斯地主们却在他们脚板下颤栗。

你们不是也在一样过着不是人的日子吗？
现在

起来哟!

伸出你们的手呀!

去紧紧地握着那面旗,

紧紧地拥抱着那旗帜下的战士。

请相信

人民的队伍永远是胜利的,

况且又加上了你们的力量

去推动前进的轮子。

人民的队伍永远是胜利的!

请相信这句话,

我的兄弟姊妹啊。

现在

我的家乡

你将是地上的乐园,

我的兄弟姊妹们将在你温暖的园里

工作、歌唱、休息

粗糙的大手抚育着崭新的民主政治。

家乡的兄弟姊妹们

现在你们是幸福的，

因为你们得到了最早的解放，

你们受到了最初的阳光，

请记住啊

在中国，在这世界上依然有着奴隶们

等待着你们伸出温暖的手掌。

隔着山，

隔着海，

我禁不住哼着我幼年的歌：

家乡，甜蜜的家乡……

小王五

刘衍洲

一

王家集有个小王五，
王五命乖黄连苦。
清水煮菜汤呀汤里捞，
记事没吃过一顿饱。
剪毛的羊儿过不了冬，
交九的天哪他光着腚。
房檐冻的喇叭长又长，
两根鼻涕挂在嘴唇上。

磨道的毛驴转着拉，
爹爹看活财主家。

寒天里下雪鹅呀鹅毛片，
六月的日头火呵火炎炎。
老牛累了搬搬梭，
人累了叫你快把衣裳脱。
没明没黑忙个死，
东家骂道是慢抽丝。
马鞭打马一打一道印，
马鞭打人一打一个血淋淋！
要问狠心的东家是哪个，
大胆不敢叫声李志和。

大雁一日能飞千里地，
紧飞慢飞还得落在他地里。
骡马成群槽呵槽头拴，
钱像流水流呵流不完。
买来朱砂扬红风，
再比这奢华他也不怕穷。
天下的老鸦一样的黑，
心硬原属着财主爷。

二

那年王家集上遭荒旱，
方圆一片成了火呀火焰山。
墙头上烙饼饼烙焦，
漫野洼里不见一棵绿苗苗。
阴天又加上啊月黑头，
穷人的时光不如狗。
地老鼠窝里还有几天粮，
王五家勺子不动锅不响。

趁着栽倒推一把，
李五爷要账放狼牙：
“一颗明珠无哇无价宝，
将你的闺女给我好不好？”
灶洞里烧火冒黑烟，
王五爹一听红了脸。
“人心铁打石子硬；
四十块钱逼着我卖亲生！
五男二女好人修，

求你五爷抬抬手！”
“牲口不吃不上膘，
不卖闺女我看你活得了？
卖了她来还了账，
我再开恩给你五升粮。”
猫儿闻腥咪咪叫，
五爷说着哈哈笑，
冬瓜头摇的像个泼浪鼓，
鼠眼一翻摸着胡。
鸭子走道挂着扭，
癞蛤蟆一心想吃天鹅肉。

打不怕人饿呀饿怕人，
逼的爹娘下狠心，
黄水滔天没了路，
亲生的闺女换哪换了半斗谷！

三

春桃一朵正呵正开花，

王五的姐姐年十八。
雨打风吹花落地，
姐姐临走哭哇哭啼啼：
“霜打了的茄子黑又紫，
李志和今年足有五十四。
梧桐树上落凤凰，
老狗哇！怎配同我一张床？”

十指尖尖连哪连心肉，
疼的爹娘绕地走。
一把鼻子一把泪，
爹娘看着心呀心成灰。
玉藕两只一个根，
王五不愿姐姐嫁孬人：
“财主爷压人仗着腰里有，
死罪要俺姐姐活人受。”
他粗黑的眉毛拧成绳，
一对圆眼瞪的大又明。

烧水又不能单靠一把火，

卖姐姐的粮米下不了几顿锅。

泥人搁不住摔三摔，

连饿加气娘呵娘瘦坏。

苦瓜不甜青杏酸，

到底逼娘进了鬼门关。

滚油浇心像火烧，

王五爹一条绳子上了吊。

线串泪珠亮晶晶，

撇下个王五孤哇孤零丁。

他知道爹娘为啥把命丧，

李五爷就是杀人的活阎王！

四

枣树枝啦弯又弯，

穷人家的孩儿谁可怜？

多亏来了八路军，

减租减息闹翻身。

日头出来满哪满天红，
王五心里喜呀喜盈盈。
——一条大路明又宽，
这会不干啥会干？

李五爷拉他背地里，
使了软的使硬的：
“三指没有二指近，
我是您姐姐心上的人；
你翅膀不全要飞高，
咱们骑驴听唱走着瞧！”

“人多能把老虎打，
死猫瞪眼我呀我不怕。”
黑脸的王五像张飞，
伸着胳膊他撵着锤。
雨淋的鹌鹑落水的鸡，
李五爷转圈干着急。

半夜星多满院子明，

王五啊！翻过身来不受穷。

一盆炭火十分旺，

七亩半地要哇要手上。

棉花桃开花白如银，

身上的衣服一崭新。

光棍汉子娶呀娶老婆，

喜的他夜夜睡不着。

更喜临死人有救，

受罪的姐姐得啊得自由。

春雨浇花花再发，

王五拉着姐姐说了话：

“江米粽子口口甜，

不是共产党咱怎能有今天！”

五

夜猫子上房笑三声，

秋里打过来国民党的兵。

狗肚子长疮心呀心肠坏，
一脚想将穷人踢下台。
怕不长命认哪认干亲，
美国是他的洋大人。
邪风怪雨头阵子大，
咋咋唬唬他们占了沙河坝。
黑夜里毛贼聚成一窝蛋，
跟着屁股又来了“还乡团”。
沙河坝西十里地，
就是王五的村子王家集。
纸老虎发疯要把人来咬，
小胆的一见害呀害怕了。
“风口的火亮不易点，
穷小子你们这会后悔晚。”
腊月里阴天响了雷，
喜的李五爷拍手又张嘴：
“一窝老鼠早晚滚水泼，
快把斗的东西加倍还给我。”
城隍庙里的吊死鬼，

五爷的脸像抹了灰。

冰上跑马马不稳，
人心慌慌乱了阵。
“太阳出来就落西，
这件事儿该怎的？
吃了的东西没法吐，
再说不吐又怕小命顾不住。”
一阵风呵一阵沙，
气的王五咬哇咬钢牙。
火烧干柴烘烘的着，
眼睛红的就像炉里火！
穷人受罪几千年，
抬头翻身没哇没几天。
羊肉包子喷喷香，
叫狗抢走不冤枉？
想吃鲜鱼别怕腥，
王五把道理讲给爷们听：

“常言道：金子不怕大火炼，
钢打的棍儿不能弯。
天阴不过是一会，
害怕缩头不顶事。
要想护住咱的好果实，
齐心去打孬种 ×××。
武装不是为别人，
正为的自己要翻身！”

开了天窗亮啊亮堂堂，
青年小伙扛起了枪。
风摆大旗半空飞，
王五组织起来游哇游击队。

太阳一落黑呀黑了天，
据点边上他们去扰乱。
东面一枪西一枪，
从黑打到东方亮。
闲下无事赶鹌鹑，

搅的贼兵夜夜睡不稳。
一天“还乡团”去到他村中，
抓人打人一窝子蜂。
十里山哪摆下九里埋伏阵，
他们藏在山洼里等仇人。
鸟枪单打回头兔，
打的孬小个个撅呀撅屁股。
干看桌上放着满灯油，
耗子回窝不露头。

行船遇上风不顺，
李五爷坐船松呀松了劲，
“早先怨我没长眼睛珠，
请你大家原谅我个老糊涂。”
猫咬尿泡瞎喜欢，
他话儿说的面条软。
英雄大花该着王五戴，
人人学他准保打退反动派！

实在的故事

征　实

李平潮

仙桃镇——湖北中部的一座小镇，位于襄河边，十里外就是广大的解放区。

由于解放区强大力量的威胁，仙桃镇底解放，只是等待时间的到临，于是代表地主阶级的区保长们，进行着最后疯狂的剥削。

以完粮来说，依照“政府”的规定，是要征实，就是说应该交给“政府”多少石白米。但是三四月间，不是收割谷子的时候；况且仙桃镇一带主要农产品原是麦子和棉花。于是区保长们有了一种变通的办法，也就是从中剥取的方法。

三月间，王区长的规定下来了，每户应该交纳的税可以折合现金，交给区公所，再由区公所按照县政府所指定的米店，统购统存。

三月间的米价不过一百五十万元一石，而区公所却要每户按照一百八十五万交纳。

无疑的，这引起很多老百姓的反感，于是有些人试着向区长说：“我们自己去买米，再按数交给区长好不好？”

区长顿时会威严而轻蔑地哼着：

“妈的，我老子是你们牛呀还是马，来替你们一升一斗往县里面驮；县政府说交钱，你们就交钱；你们晓得一个屁，还想这样那样的！”

当然老百姓只好忍气吞声，向区公所交出自己底血汗钱。

但是这时晴天的霹雳，突然区长晒着七月的大太阳，带着他的鹰犬，又出现在每户的门口：

“喂！告诉你们，你们三月间交纳的钱不行，应该按现在的米价交给所里面，现在的米价是五百八十万，你们每石要补交三百九十五万。限你们明天交清，听清楚了吧。”

区长摇着扇子走了，人们一齐嘘着他的背影。

原来区长在三月间收了这笔款子后，自己收购了金条子，现在米价也涨得这样高，区长当然不会贴出自己赚来的钱的，于是又向人民剥削一次。

第二天好多人自动走进了区公所底拘留所。因为他们已无可剥削的了。

检查哨

陆　泉

这检查哨设在小市集的出进口上。

检查哨上站着的是两个“兵油了”，在这小镇，特别是在这检查哨职权达到的一小圈圈地上，他们是无比威严的。卖菜的走过，他们可以随意拣选一点；卖柴的走过，会自动留下几块。

“狗肏的，还不停下来。”高个儿哨兵对一个挑黄瓜的吼着。

“有身份证没有？”胖哨兵问。

“有的，”他搜了半天，“哎哟，忘记带来了。”

“忘记了，脑袋瓜子记得带来了没有？”高个儿走上去就用刺刀柄把卖黄瓜的脑袋敲了两下。

“喂，卖瓜的，快点走呀，把瓜担留在这里，去拿了身份证再来挑瓜。”

“不行呀，老总，我住的地方离这里还有几十里，一去一来，今天的瓜也卖不成了，下午这瓜就要坏的。”

求情了好一会后，胖子到底松了一口气，留下了五六斤瓜，卖瓜的才算被释放走了。

哨兵的权力是相当大的，他们像关卡一样收货物税，征收实物，像金管局一样查人家现金，有时更有意向年青的乡妇身上东摸西摸，而胖哨兵就在一旁哼着十八摸的小调。

一个晚上，一个单身卖了棉花的农人，卖完了货，从镇上准备回到李家湾去。

当他正在急急匆匆赶路的时候，突然哨所里面吼着：

“口令！”

“老百姓，老总！”农人很自然地回答着。

"站住，不准动！"

"不准动就不动。"农人心里说着，就站定了。

"两只手举起来，把背对着我们。"

农人也只好照办。

"你是干什么的，住在什么地方？"两个哨兵渐渐走近了，高个儿问着。

"我是卖了棉花的，住在李家湾。"

"卖棉花的？"胖子向高个儿眨了一下眼睛示意。

"不要动，我们要搜查你身上。"

胖子搜到农人的腰带时，农人突然把举起的手放下来遮着腰带。

"不要动，他妈得皮。"高个儿立即给了他一个耳光。

胖子从农人的腰带的小袋里，摸出了一个沉重的小纸包，胖子立即紧握在手上，显然他已经知道这是什么了，但他还装腔地问着：

"这是什么？"

"是洋钱。"（即银元）

"洋钱哪儿来的？"高个儿问。

"卖了棉花的。"

"卖棉花不给钞票，给洋钱？"胖子说。

"我们乡下是不要钞票的。"

"放屁，是谁不用钞票？是谁不相信国民政府？"

"不是，不是，他们要给洋钱我，我就只好收洋钱了。"

"好，你的洋钱有几多块？"胖子问。

"十一块。"

胖子数了一数果然是十一块，又想了一下：

"有几多大人头（袁）几多小人头（孙）呢？"

这一回可问住了农人，一点也回答不出来。

于是高个儿高声问着："讲吗，几多大人头，几多小人头？"

"我没有留心这些，老总。"

"放屁，自己底钱，连这也不记得，一定不是个好东西，你说，在哪儿弄来的钱？"胖子问。

"不，我是老百姓，我这儿还有身份证哩！"

"什么身份证不身份证，妈的，土匪的额上还刻了字不成？"胖子吼着。

"押起来，押起来，怪不得想深更半夜溜过检查哨的。"

这农人是被押在检查哨里面了。

一百廿九处伤

白　艾

战斗正激烈的时候，二连指导员叫通讯员小胖子到前线去传命令。因为小胖子年纪小，才十七岁，指导员特别把命令一个字一个字的给他说的很清楚。

小胖子也怕忘了，又在嘴里叽哩咕噜的念了几遍，然后把他的马大盖朝手里一提，一颗子弹推上膛，一躬腰，朝前跑去了。

敌人的子弹就在他头上“急入”“急入”——的乱叫。

正跑着，小胖子听到一颗炮弹是对着他打来的，他赶紧朝地上一爬，那颗炮弹就落在他脸前炸了：一阵黄烟，一阵土，小胖子整个给埋在里边。他从土里打个翻身，一个骨碌爬起来，又跑。不行！眼睛一阵发黑，歪倒了。只觉得头昏，眼花，想吐出来，脊梁上也像火燎着的一样阵阵发烫，他定了神，摸摸胳膊腿，还好好的；伸着拳头，也怪灵便；再朝地上看，躺着的地方，堆了一堆被炮弹嘣起的“坷拉”（注：即泥块，北方土话），他拾起一团来狠狠的朝地上一掼：“就是给你砸着的呀！”

他撑一撑劲，爬起来又朝前跑了。

在前线上他找到了二排，把命令传过后，就顺着一条交通沟，一歪一歪的又回到指导员这边来了。

指导员看他脸色不对，就问他：“你怎么啦？”

小胖子一磕腿，支持着打个立正：“敌人在卅米达朝内开始射击，卅米达朝外不准射击，廿五米达朝内，机枪用快机，廿五米达朝外不准用快机。都传达过啦！”

指导员交给他的命令，老实是这么多，他说的一个字都没少。

“我是问你怎么啦？受伤了还是怎么的，脸黄黄的一身灰？！”

小胖子才发觉指导员老朝他身上看。给他看的不好意思了，马糊的答一句：“叫‘坷拉’砸了一下，没有啥。”

指导员发现他领子上被血染湿了一大片，赶紧把他颈子抱来细细的看，血是从许多小洞里朝外冒，从颈子到脊背上，都被这些小洞排满了，小洞里冒出一股股的血，整个脊梁上都是红的了。指导员一面关怀的责备他："炸成麻子啦！还没有啥哩！"一面很认真的给他数着伤口，数到最后一个数目字时，指导员的舌头都数出来了："一百廿九处！"

边上看的人，也把舌头伸出来好半天没缩进去。

指导员怕小胖子听了害怕，赶紧补充了一句安慰话："伤口虽多，还好，不重。"于是就叫他下去，到后边绷带所去包扎。

小胖子停了老大会，只把身扭了一下，说声"不去"，就摸个工事里坐下。

指导员实在不忍心，但怎么说他还是不去，好容易小胖子才说："大家整天说轻伤不下火线，轻伤下火线的都是'怕死鬼'。我这一点伤就下去了，不是'怕死鬼'了吗？"他看指导员想说话的样子，赶紧又抢一句："你刚才说的还好不重。"

指导员明白他的意思后，又反复的苦劝与解释，并保证大家不说他是"怕死鬼"后，小胖子才半天一步，半天一步的上绷带所去了。

一路上小胖子心里又想起来了，"假使别人说我是装不好怎么办呢？假使别人喊我怕死鬼怎么办呢？假使……”

他愈想愈不对劲，愈想愈不能下去。

一抬头已经到了绷带所，上来了两个大个子医务员，把他衣服解开就给他包扎。医务员看他背上满是伤，想给他数一下到底有多少，数了一会，只把舌头伸一下，摇摇头就不数了。

刚包扎好，小胖子掂起他的马大盖，一歪一歪的就要走。

医务员一把拉住他：“上哪去呀？”

小胖子好像是自己对自己说的样：“回前边去。”

医务员温和的给他说：“你不要到前边去啦！到后边去好，你的伤口太多了嘛！”

小胖子把肩膀一歪，医务员的手给他歪了下去，又拈起枪走了。

医务员简直有点生气：“回来，回来！叫你到后边去就到后边去，哪来那么多的噜苏！”说着又把他拉回来。

小胖子也有点生气：”我不去就不去，要你管的着！”

医务员的眼睛气的多大：“彩号要服从医务员的指挥，你不懂吗？！”

小胖子把颈子一硬：“不懂！”

医务员气的没办法，上去把他的枪夺过来，又和另外一个人，抱起小胖子，朝旁边担架上一放，四个抬担架的民伕，抬起来就跑了。

老远还听见小胖子在担架上骂着：“人家说我，你负责！”

没过几天，小胖子在医院里住不惯，闷的很，伤没好就回到连里来了。

顶头又碰到医务员，小胖子一扭脸，没打算理他。

医务员却嘻皮笑脸的迎上来了：“小胖子，伤好了吗？怎么这么快呢？”

小胖子想起上次的事情，抱了很深的成见，眼睛只朝他斜了一下，没有理他。

医务员更装出调皮的样子，嘴里先啧了几下：“你看你，问你伤好了没有，革命同志嘛，关心你嘛！”一面说一面就把小胖子拉过来，看看他的脖子，摸摸他的脊背，看看他的伤口。

在小胖子看来，是非常不好意思的动作，医务员却那样厚脸皮，不在意。小胖子索性把褂子脱掉，叫他细细看。

医务员显得更亲热了，给他摸摸弄弄，一会又认真的给他数起伤口来了，照样数到最后一个时摇摇头。然后又给他重新包扎好，最后医务员轻轻的拍着他肩膀说：“你不让了，你不让了，可以‘卖’了！”（意为可以扬一扬名了。）

小胖子穿起衣服，奇怪的看着他。于是医务员就给他说“可以卖”的理由，他引证了一个故事：

“美国有个驾驶员，受了一百零九处伤，让全美国的人都知道了，都争着要看他，说他了不起，美国报纸也到处登出来，朝外宣传说：‘美国有这样了不起的英雄！’这个驾驶员也就凭着他的一百零九处伤，走到哪吃到哪，连饭票都不要。”

停了一下又指着他脊梁说：“你这是一百廿九处，比他多二十处，将来你可以到美国去，找着那位驾驶员，熊（注：意为发脾气）他一顿，问他有什么可卖的？！然后把褂子一脱：怎么样？一百二十九处！”

肥料事件

子 般

去年腊月十三，一个西北风刮得很大的下午，沈家兜的阿桂从南浔回来告诉兜里人：“明天大家可以到街上去倒马桶粪了，不会出事体的，就是出什么事体，农会机关里会替我们出场：我们要打倒粪行！”

本来是很平静的沈家兜，这可激荡起来了：青年的小伙子们都高兴得了不得，脸上表现着一股激情；女人们拖着小孩也在谈论着，几个年老的嘴里不说，心里总怀疑着。阿桂又释解了一番说这是镇上农会的主意，机关里出场帮助我们，决不会有吃亏道理，你们明天大着胆去倒好了，出了事件，我会去和农会里说的，况且明天到街上去倒粪的，别的乡下也去得很多。

“真的，肏你娘。”大家你一句我一句的咒骂。原来日本人没来前谁都可到街上去倒粪，后来鬼子来了，镇上的坏蛋，勾结伪组织里的，才不许当地的农民倒。一直到如今，只准粪行专利。粪行里发财发够了，三四担粪，掺八九担水满满的一船要卖上一百多万块钱，哪里有这样的好赚头？太湖上人会十几船十几船的向他们买去。

但，却苦了当地的农民，他们八九年来因为肥料少，田里都歉收。“肏他娘。明天他们干涉，就打他们一顿，叫他们吃几口粪，出出这口气。”

大家你一声，我一句的讲着，非常的兴奋。愿意倒粪的一共有十七个人，都是年青的小伙子，大家商量定当，兜里本来只有三只船，再向邻村租一只，一共四只，明天二鸡啼起身，东方打日出发，一切都预备好，大家才散场了。

沈家兜离南浔有四里路，自兜口摇过小桥，转两个弯，就是一条大塘，径直通到南浔。次日早上，当他们的船摇进这小镇的市河的时候，太阳还刚透上，冬天的下霜的早上是很寒冷的，这时候有钱的正在被窝里好睡哩，但在市街上有几处已喧嚷着人声；鱼行，水果行，饭店，豆腐店，糕饼店，都已经在工作了，有几家豆腐店，望进去还点着灯火哩。在临市河的一个河埠，已经有粪船停着，有人正在倒粪。

“喂！你是哪里的？是不是粪行里的？”长福边摇着橹问。倒粪的向那只船看了一眼懒洋洋地说：“是粪行里的。”长福的船就靠拢岸去。

“你不许倒！这粪是我们倒的，你倒了也是我们的！”长福的声音说得又响又坚决。

船上的小伙子可活跃了，有的拿得粪杓对行里船上的粪舀过来，有的挑着粪桶上岸了。他们自己分好地段，走进人家去一家一家倒马桶，镇上的人家有的倒也很愿意他们倒，因为他们把马桶洗得清洁，而且长久了，逢时节还拿一些菜啦草柴啦来送礼。而粪行里呢，非但马桶洗得不净，到年来还要向人家索取一笔“年规钱”。所以人家都很乐意让老乡们倒。

他们在街路上遇到了许多不认识的乡下人也在倒粪，彼此露着得意的微笑走过了，有几个还挺起了胸脯嚷着说：“哼！看他们（指粪行）怎样？”一切都很顺利的过去，只起初有两个不识时务的“粪蛆虫”（粪行里派在街上巡查阻搁乡下人倒粪的人员）要拦阻他们，被他们打了一顿，吃了些苦头之后，就不响了，就是对面碰着了粪担也只装看不见走开了。这样过了两个钟头，肩上挑桶的，摇船载的都满满的回转了。沈家兜的四只船，也都载满粪，得意的摇着橹，他们碰到粪行的船都是空空的，忍不住要笑出来。

“这回他们可吃瘪了，只要乡下人齐心，什么都做得出。”满脸麻子的阿全得意地说。

冬天的太阳懒洋洋地照在大塘上的水波上，当沈家兜的四只船转几个弯，摇进兜口，已望得见有人在兜底张望了船靠拢岸，大家问街上倒粪的情形，孩子们跳跳蹦蹦的转着圈子，几条狗也摇头摆尾依偎在人身边，好像也在替兜里的人喜欢。

第二天第三天……都是这样过去了，兜里的人觉得很快活，他们确信现在又和鬼子来前一样了，他们确信以后田稻会一年年好起来，他们对那些替他们出场出主意的人真是莫名地感激。但是，十一天后的一个下午，阿桂又从街上回来，叫齐了到街上倒粪的人说：

“明天你们船不必摇出去了，所里（镇公所）已经替你们划好地段，规定在一定的时间内，大家可以倒粪去，但是没有参加农会的不许倒……”

“这是怎么一回事呢？”有几个着急地问。原来参加农会的乡下人是极少数的。

“听说所里已经和粪行讲好条件，每月拿出笔巨款，作为补足行政经费，所以才决定改变做法了，出这样的主意了。”有人这样说。

“那还不是拿我们弄白相？我们原来是为他们方便？”

“我们是被骗了。”

“狗肏的，原来他们是为了自己要钱，才叫我们这样做的！”

稻场上立时激荡起来，小伙子们都生气了，有的主张明天仍旧开船去倒，有的说大家预备打，打出事来也不怕，吃官司，大家去。阿桂劝解着他们说：

“现在权柄在他们手里，有什么办法？大家还是忍耐些罢，等以后再想办法。”

“我到死也不相信长久会这样下去，总有一天在老子手里！”阿全的麻脸涨得血红，忿忿地说。

三联经典文库第二辑简目

《游击战教程》　明凡 / 著

《游击战术纲要》　陶剑青 / 编著

《汪精卫卖国的理论与实践》　钱俊瑞 / 著

《抗战以来》　韬奋 / 著

《陕行纪实》　楚云 / 著

《随军散记》　沙汀 / 著

《被日寇囚系半载记》　王研石 / 著

《倭营历险记》　房沧浪 / 著

《活跃的新西北》　田影 / 编著

《保卫华北的游击战》　刘清扬　陈北鸥等 / 著

《徐州突围》　《徐州突围》编委会 / 编

《沦亡的平津》　长江　小方等 / 著

《淞沪火线上》　胡兰畦等 / 著

《瞻回东战场》　长江　罗平 / 著

《东线的撤退》　胡兰畦等 / 著

《抗战中的西北》　徐盈 / 著

《鲁闽风云》　徐盈等 / 著

《西线生活》　西北战地服务团集体创作

《中国解放区见闻》　［美］福尔曼著 / 朱进译

《全面抗战论》　潘汉年 / 著

《日本的间谍》　范士白自述 / 尊闻译

《日本大陆政策的真面目》　国难资料编辑社 / 编

《民众动员论》　李公朴 / 著

《中国外交史》　钱亦石 / 编著

《太平洋军事地理》　蒋震华 / 著

《世界经济地理讲话》　思慕 / 著

《列强军力论》　［德］马克斯 · 威纳尔著 / 宾符　仲持　梅益等译

《近代国际关系史》　张铁生 / 著

《太平洋现势手册》　沈志远　石啸冲 / 编著

《近代世界政治史》　钱亦石 / 著

《从战争到和平——一九四五年的世界政治》　乔木 / 著

《战后日本问题》　思慕 / 著

《最近一年间的国际动态（1946.7–1947.6）》　《东北日报》社 / 编

《论政党》　翟放 / 著

《法与宪法》　韩幽桐 / 编著

《中华民国宪法刍议》　罗家衡 / 著

《民主 · 宪法 · 人权——作之民》　费孝通 / 著

《宪法论初步》　潘念之 / 著

《对反民主的抗争》　韬奋 / 著

《农村改进的理论与实际》　江恒源 / 著

《上海产业与上海职工》（上下）　朱邦兴　胡林阁　徐声 / 合编

《陶行知教育论文选辑》　陶行知著 / 方与严编

《中国通货膨胀论》　杨培新 / 著

《中国及其未完成的革命》　H·普拉特著 / 蒋天佐译

《中国的建设问题与人的训练》　卢作孚 / 著

《论中国特殊性及其他》　艾思奇 / 著

《中国经济问题讲话》　钱俊瑞　徐雪寒　王渔邨　姜君辰　骆耕漠 / 合著

《中国经济的道路》　许涤新 / 著

《中国财政之病态及其批判》　孙怀仁 / 著

《官僚资本论》　许涤新 / 著

《五四运动之史的评价》　陈端志 / 著

《中国通史简编》（上下）　中国历史研究会　范文澜 / 主编

《论文学的工农兵方向——读〈在延安文艺座谈会上的讲话〉》　雪苇 / 著

《中国近代史（上编　第一分册）》　武波 / 编著

《文学百题》　傅东华 / 编

《中国史学之进化》　周谷城 / 著

《论民族形式问题》　胡风 / 著

《论批评》　荃麟等 / 著

《中国史纲》（第一卷上下、第二卷上下）　翦伯赞 / 著

《近代中国思想学说史》（1–4）　侯外庐 / 著

《中国政治思想史》（上下）　吕振羽 / 著

《中国哲学史纲要》　向林冰 / 著

《中国政治史讲话》　钱亦石 / 著

《中国社会经济史纲》　王渔邨 / 著

《新财政学大纲》　千家驹 / 著

《太平天国革命运动论文集——金田起义百周年纪念》

华北大学历史研究室 / 编

《理性与自由——文化思想批评论文集》　胡绳 / 著

《战斗者的诗人》　黄药眠 / 著

《国语文法》　曹朴 / 著

《教育哲学》　张栗原 / 著

《妇女问题讲话》　杜君慧 / 著

《婚姻 · 子女 · 继承》　沙千里 / 著

《性教育新论》　布士克　雅各生合著 / 董秋斯译

《狱中杂感》　杜重远 / 著

《七人之狱》　沙千里 / 著

《爱迪生传》　伍况甫 / 译

《歌德自传》（上下）　歌德著 / 思慕译

《尼赫鲁自传》　［印度］尼赫鲁著 / 毕来译

《列宁传》　［苏］凯尔任采夫著 / 企程　朔望译

《罗斯福总统传》　C. Mackenzie 著 / 张尚之译

《托尔斯泰传》（1–3）　［英］阿尔麦 · 莫德著 / 徐迟译

《革命文豪高尔基》　［美］亚历山大·康恩著 / 韬奋编译

《鲁迅纪念特辑》　新中国文艺社 / 编

《回忆鲁迅先生》　萧红 / 著

《人民文豪鲁迅》　平心 / 著

《亡友鲁迅印象记》　许寿裳 / 著

《鲁迅思想研究》　何干之 / 著

《鲁迅研究》　夏征农 / 编

《过来的时代：鲁迅论及其他》　雪峰 / 著

《电影戏剧表演术》　洪深 / 著

《日常心理漫谈》　［美］约瑟夫·查斯特罗著 / 曾宝施译

《心理常识漫话》　朱智贤　杨云美 / 著

《读书的方法与经验》　王任叔 / 著

《美国黑人生活纪实》　［美］加德维尔　斯坦倍克著 / 董秋斯译

《初访美国》　费孝通 / 著

《事业与成功》　［美］马尔腾著 / 汪原放译

《萍踪寄语（初集）》　韬奋 / 著

《一生的幸福前途——〈生活周刊〉信箱选集》　生活书店 / 编选

《深刻的印象》　生活周刊社 / 编

《海外的感受》　生活书店编译所 / 编

ISBN 978-7-108-04595-9

9 787108 045959 >

定价：30.00元